D1534904

Les Adventistes
du septième Jour

Direction

JOSEPH LONGTON ET R.-FERDINAND POSWICK

Révision

JACQUES DOUKHAN ET ANNE-MARIE TOPALOV

FILS D'ABRAHAM

Les Adventistes
du septième Jour

RICHARD LEHMANN
Docteur ès sciences religieuses

ÉDITIONS BREPOLS

90-4982

FILS D'ABRAHAM

Volumes parus

J. LONGTON
*Fils d'Abraham. Panorama des communautés
juives, chrétiennes et musulmanes*
R. LEHMANN
Les Adventistes du septième Jour

A paraître

CHRISTIAN CANNUYER
Les Bahā'īs

CLAUDE CELIS
Les Syriens orthodoxes et catholiques

En préparation

Les Catholiques polonais
Les Druzes
Les Éthiopiens
Les Falashas
Les Ḥassidîm
Les Juifs maghrébins
Les Maronites
Les Nestoriens et les Chaldéens
Les Orthodoxes russes
Les Samaritains
Les Sikhs

© 1987 – S.A. Brepols I.G.P.
Imprimé en Belgique
ISBN 2-503-82345-9

à Jean-Philippe

Préface

La Révolution française et l'Empire napoléonien, l'un et l'autre accompagnés de guerres en série, ont secoué violemment la conscience européenne et américaine. De ce choc – pour les autres – nous avons apparemment et pour la plupart de nous à peu près tout oublié.

Les événements eux-mêmes se révélaient hors du commun, de tous les points de vue. Les effets sociaux, politiques, économiques, culturels, religieux de la Révolution se montraient chaque jour plus évidemment radicaux. Vite on eut le spectacle d'une 'nation en armes' déferlant hors de ses frontières, 'sûre d'elle et dominatrice'. Où s'arrêterait-elle ? Qui ou quoi se cachait dans ce dynamisme quasi messianique ? On commençait à parler de l'Antichrist, des combats des derniers jours, on interprétait l'*Apocalypse* et les autres prophéties scripturaires. Aucune Église, aucun pays, aucune tendance qui n'ait contribué à la littérature issue des ces interrogations où s'abîmait, finissant, le Siècle des Lumières. Le Retour du Christ n'était-il pas proche et le dernier Jugement ? En plus d'un milieu la question se trouvait posée.

Dans les pays protestants, le 'Réveil prophétique' se montra profond et étendu ; il y dura plus longuement qu'ailleurs. L'adventisme naquit de cette fermentation, dont les aspects socio-religieux furent, on s'en doute, variés.

Mais de l'adventisme que savons-nous ? Et qu'en pourrions-nous dire à brûle-pourpoint ? Les mieux informés ont entendu parler d'un agriculteur américain devenu pasteur, et de son échec de 1843-44 : les dates mises en avant par lui pour le retour du Christ s'étaient révélées erronées. Mais qu'arriva-t-il ensuite ? Comment passe-t-on de ce événement tout négatif à une Église plutôt dynamique, celle des Adventistes du septième Jour (8.000 membres baptisés en France, mais plus de cinq millions dans le monde) ? Et surtout, de ce qui était la foi et les pratiques assez traditionnelles de Miller à un groupe aux pratiques plutôt inattendues (observance

du sabbat, régime alimentaire particulier, etc.) et aux croyances
– celles concernant l'eschatologie plus spécialement – qui éton-
nent le Chrétien moyen, protestant ou catholique ? Ici beaucoup
donnent leur langue au chat : ils ne savent pas ; ils ignorent même,
et pour cause, où se renseigner valablement.

Ne serait-ce que pour répondre aux ignorances du public en la
matière – et même les gens cultivés en avouent certaines dans ce
domaine – le livre de Mr Richard Lehmann arrive à point. D'autre
part, sa parution chez un éditeur catholique, Brepols, ne saurait
passer inaperçue. Son auteur occupe en effet des fonctions officielles
au sein de son Église, étant doyen de la Faculté adventiste de
théologie francophone de Collonges-sous-Salève, en Haute-Savoie
près de Genève. On se plaît à penser que l'événement signale à sa
façon un état nouveau des rapports entre catholicisme et Églises
chrétiennes minoritaires, en ce pays et – pourquoi pas ? – en
d'autres.

Mr Lehmann ne m'en voudra pas, j'espère, d'énoncer les mérites
que j'aperçois à son ouvrage. Celui, tout d'abord, d'exposer clairement
et succinctement ce qu'il y a à savoir d'essentiel sur les Adventistes
du septième Jour : histoire, croyances, pratiques, organisation,
diffusion. Mais il nous dit aussi discrètement comment l'on s'y
prend pour vivre lorsqu'on est un Chrétien d'un genre surprenant
(pour les autres s'entend). Tout cela avec pertinence, précision, et
non sans une certaine distance, volontaire ce me semble. L'auteur
a une apologétique 'cool'. D'ailleurs, se montre-t-il apologétique ?
Pas plus que polémique ; et c'est un des atouts de son livre.

Mr Richard Lehmann se révèle – s'en étonnera-t-on dans son
cas ? – très informé ; sa bibliographie témoigne avec éclat dans ce
domaine : les spécialistes apprécieront. La manière dont il décrit,
à plusieurs occasions, certaines tensions et controverses qui parcourent
son Église et la secouent parfois (celle concernant le rôle respectif
de la foi et des œuvres dans le salut est célèbre et récurrente)
évoque quelqu'un qui sait et n'a pas l'intention de cacher. Pas plus
qu'il ne souhaite voiler la pluralité des attitudes pratiques de ses

coreligionnaires sur un certain nombre de points (en matière de table, entre autres).

On notera je crois avec moi la pointe juste perceptible de fierté dont Mr Lehmann accompagne la description qu'il nous fait de la pratique de la dîme dans son Église. Et sans doute la générosité financière des Adventistes renversera d'étonnement plusieurs membres de 'grandes Églises'. On est là devant un phénomène relativement fréquent dans les groupes chrétiens minoritaires, où la générosité s'allie, en général, à une grande disponibilité pour toutes sortes d'engagements. Chez les Adventistes ces attitudes ont cependant une coloration propre. Elles apparaissent liées à la conscience qu'entretient leur groupe du rôle qui lui échoit comme Église 'au derniers temps', et comme 'Église des derniers temps'. Sur ces aspects fort intéressants de la conscience adventiste, Mr Lehmann fournit d'amples et circonstanciées explications. S'il ne convainc pas nécessairement son lecteur de la justesse de la position adventiste, il montre en tout cas très efficacement sa cohérence logique. On le saisit : d'où qu'on l'aborde, la perspective eschatologique illumine, dans l'adventisme, tout l'horizon, celui des croyances comme celui des pratiques.

Œuvre de bonne foi et de savoir sûr, le livre de Richard Lehmann, écrit sans fioritures ni gesticulations, fait entendre un son nouveau dans la production francophone concernant les groupes chrétiens minoritaires : celui de la sérénité informée. Peut-on souhaiter que son exemple fasse tache d'huile ?

Jean Séguy
Directeur de recherche
au CNRS

Histoire

INTRODUCTION

L'attente du retour du Christ a marqué l'Église chrétienne dès ses origines. Jésus avait prophétisé sa venue en gloire (Matt 24-25) et des anges l'avaient confirmée peu après son ascension (Act 1,9-11). L'Église apostolique était tout entière attachée à cette bienheureuse espérance (Jean 14,1-3). Mais nul ne savait quand cet événement suprême allait survenir. L'apôtre Paul devra calmer l'enthousiasme de ceux qui le tenaient pour réalisé (2 Th 2,1-2).

L'*Apocalypse* de Jean alimentera l'imagination de tous et le proche retour du Christ servira de thème tant aux hérétiques (Cérinthe, Montanus) qu'aux représentants officiels de l'Église (Tertullien, saint Augustin). Le pape Grégoire Iᵉʳ le Grand (540-604) écrira : "Pourquoi ne pas se rendre compte que le monde touche à sa fin ? Jour par jour, les choses se précipitent, et nous nous rapprochons toujours plus du Jugement qu'il nous faudra subir devant le Juge terrible et éternel. Que faire sinon penser à son Retour ?" (J. Séguy, *Les Sectes protestantes dans la France contemporaine*, Paris, 1956, 103). Luther quant à lui, n'accordera que cent ans à la durée de ce monde.

Les périodes de crise ont fortement amplifié cette réflexion eschatologique. Rien de surprenant à la voir fleurir au dix-neuvième siècle en pleine Révolution industrielle. Les progrès de la science, les bouleversements politiques, les idées nouvelles laissaient augurer pour les uns une époque de justice et de paix préparant la venue du Christ en gloire. Pour d'autres, au contraire, tout prenait forme de catastrophe.

Parti du Würtemberg à la fin du dix-huitième siècle, un vaste réveil prophétique se développa dans toute l'Europe, émigra en Angleterre (Irving, Darby) et en Amérique du Nord où il trouva un terrain de choix dans les milieux piétistes. Réagissant contre les idées déistes et libérales exportées par la Révolution française de 1789, un puissant mouvement religieux se développa en Nouvelle-Angleterre et embrasa tous les États confédérés. Des prédicateurs appelèrent à la réforme des moeurs. La Bible fut étudiée systématiquement et de grandes assemblées sous la tente soutinrent la propagande religieuse. La première moitié du dix-neuvième siècle fut ainsi marquée par la multiplication de sociétés religieuses et missionnaires.

La fin du monde était-elle proche ? Quand allait-elle survenir ? Autant de questions auxquelles une cinquantaine de groupes tentèrent de répondre, dont dix-sept aux États-Unis. Parmi eux, les Millérites d'où naîtront les Adventistes du septième jour.

WILLIAM MILLER

William Miller naquit le 15 février 1782 à Pittsfield, Massachusetts, dans une famille pieuse et modeste. A 21 ans, il se maria et s'installa à Poultney, dans l'État du Vermont. Cultivé, épris de justice, il remplit tour à tour les fonctions de juge et de shérif de la petite localité. Miller n'était pas passionné de religion, et il partageait les idées déistes de nombre de ses contemporains. Mais les détresses dont il fut témoin lors de la guerre de 1812-14 contre les Anglais l'affectèrent profondément. Deux ans plus tard survint le décès de son père. L'inconnu de la mort l'effraya. Ses idées déistes ne répondaient plus à ses préoccupations. Il avait besoin de certitudes. La Bible qu'il s'était remis à lire ne lui paraissait pas digne de confiance.

Miller se donna un temps de réflexion et s'installa à Low Hampton dans l'État de New York pour s'occuper de sa mère et gérer les biens légués par son père. Il fréquenta l'Église de son oncle, pasteur baptiste, plus par civilité que par conviction. Mais invité un jour à lire la prédication en l'absence du diacre de service, il fut bouleversé par le contenu du chapitre 53 du prophète Ésaïe. La bonté de Dieu et le sacrifice de Jésus pour les pécheurs le marquèrent au plus profond de lui-même. Il était prêt à croire mais il n'avait pas de réponse aux objections à la foi chrétienne qu'il avait lui-même élevées avec ses amis déistes. Miller décida alors de consacrer deux années entières, de 1816 à 1818 à l'étude suivie de la Bible. Sa pensée rationnelle s'attacha aux prophéties bibliques et bientôt leur réalisation devinrent pour lui la preuve de la véracité de l'Écriture.

"Je découvris que des événements annoncés et accomplis dans le passé, se sont réalisés en un temps déterminé. Les 120 ans du déluge, Gn 6,3 ; ...les 400 ans de séjour de la postérité d'Abraham, Gn 15,13 ; les 3 jours du rêve de l'échanson et du panetier, Gn 40,12-20 ; les 7 ans de Pharaon, Gn 41,28-54 ; les 40 ans dans le désert, Nb 14,34 ; les 3 ans et demi de famine, 1 R 17,1 ; les 65 ans d'Éphraïm, Is 7,8 ; les 70 ans de captivité, Jér 25,11 ; les sept temps de Nabuchodonosor, Dan 4,13-16 et les 70 semaines déterminées sur les Juifs, Dan 9,24-27. Les événements définis par ces temps étaient objet de prophéties et s'accomplissaient conformément aux prédictions" (*W. Miller's apology and defense*, Boston, 1845, 9-10).

Miller porta toute son attention au livre de *Daniel* et à l'*Apocalypse* de Jean. Il adopta le principe d'interprétation qui reconnaît dans les livres symboliques la valeur d'une année pour un jour prophétique. Sur cette base les commentaires de la version anglaise *King James* faisaient correspondre la fin des 70 semaines du chapitre 9 de Daniel à la mort du Christ. Ils prenaient pour point de départ des 490 ans la septième année du règne d'Artaxerxès, soit 457 av. J.C. ; 70 semaines font 490 jours, soit autant d'années en termes prophétiques. En comptant 490 années à partir de 457 av. J.C., on arrive à l'an 33 de notre ère. L'Oint retranché au milieu de la dernière semaine, selon le texte prophétique, était le Christ mort vers l'an 30.

Pour Miller, cette prophétie était liée à celle du chapitre 8 de *Daniel* : "Encore 2.300 soirs et matins et le sanctuaire sera purifié." Si l'on retranche des 2.300 ans les 457 ans de l'ère ancienne, il reste 1.843 ans dans l'ère nouvelle. Considérant que le sanctuaire qui devait être purifié était la terre, Miller en conclut la fin du monde pour 1843. Il écrivit : "Je fus ainsi conduit, en 1818, à la fin de mes deux années d'étude de l'Écriture, à la conclusion solennelle que dans 25 ans environ, à partir de cette date, toutes les affaires du monde présent seraient achevées" (*W. Miller's apology and defense*, 12).

Sans le savoir, Miller développait les thèses du Jésuite Manuel Lacunza (1731-1801) ; de Gutierry de Rozas, juriste mexicain, avocat auprès du tribunal de l'Inquisition (1835); d'Adam Burwell, missionnaire canadien de la Société pour la propagande de l'Évangile (1835); de R. Scott, pasteur anglican, puis baptiste (1834); du fameux missionnaire anglais, Joseph Wolff (1829); et de bien d'autres encore.

LES MILLÉRITES

Miller ne commença à partager ses découvertes qu'à partir de 1831. Très vite il se trouva engagé dans un vaste mouvement de réveil. La prédication du proche retour de Christ conduisait les croyants à se préparer pour cet événement solennel. Pendant quatre ans, il parcourut villes et villages, répondant aux invitations qui lui étaient adressées. Dix-sept pasteurs de confessions différentes l'accréditèrent auprès de leur Église. Il prêcha plus de huit cents sermons, et de nombreuses communautés acceptèrent son message. Ne pouvant suffire à la tâche, Miller reçut l'aide de plusieurs pasteurs.

Joshua Himes, pasteur baptiste, devint le publiciste du mouvement. Il fonda une imprimerie et publia *Signs of the Times*, une revue à large diffusion. Puis, *The Midnight Cry* qui fut tiré à New York à dix mille exemplaires par jour. Des brochures furent répandues à plus de cinq millions d'exemplaires.

Josiah Litch, pasteur méthodiste, devint rédacteur en chef du *Signs of the Times*. Charles Fitch, pasteur de l'Église presbytérienne libre, était comme les deux autres un ardent anti-esclavagiste. Il apporta son soutien à Miller en diffusant un hebdomadaire dans les États de l'Ouest. Exclu de son Église, il préconisa à ses lecteurs de 'sortir de Babylone', c'est-à-dire des Églises protestantes. A ces trois pasteurs s'ajoutèrent en particulier Joseph Bates, un officier de marine, auteur d'importants ouvrages sur la période qui suivra la déception de 1844, et Sylvester Bliss, apologète de W. Miller et de ses idées.

Les années 1840 à 1843 furent consacrées à la proclamation du message d'avertissement relatif à la fin des temps, ainsi qu'à l'organisation de grandes assemblées qui réunirent jusqu'à cinq mille personnes. Le mouvement garda jusqu'au bout un caractère inter-confessionnel.

1844 ET LE MOUVEMENT ADVENTISTE

William Miller avait fixé la date du retour du Christ entre l'automne 1843 et le printemps 1844. Pour tenir compte du calendrier juif, il repoussa la date au 22 octobre 1844. Toujours lucide et prudent, Miller s'opposa au fanatisme que provoquait l'enthousiasme de certains. Le 22 octobre, près de cent mille personnes attendirent avec foi l'événement. Un historien, John B. Mc Master, estima que près d'un million de personnes sur les dix-sept que comportaient les États-Unis, accordèrent leur faveur au mouvement, dont pas loin d'un millier de pasteurs. Mais le 23 octobre, ce fut la grande déception. Le Christ attendu avec tant de foi, ne revint pas. Le 10 novembre 1844, par une déclaration officielle faite à Boston, les responsables reconnurent leur erreur quant à l'interprétation de l'événement, sans remettre en cause la chronologie.

Certains renoncèrent à leur espérance et abandonnèrent le mouvement. Une bonne moitié des Millérites réintégrèrent leurs Églises d'origine. Le reste, désorganisé, se regroupa ici et là, autour de certaines personnalités. Certains groupes se mirent à fixer de nouvelles dates. L'esprit de consécration se perdit peu à peu dans la controverse. Miller poursuivit son intense activité, consolant les uns, affermissant la foi des autres dans une proche Parousie, mais non datée. Il mourut aveugle, le 20 décembre 1849.

Cependant, l'échec du mouvement ne signifiait pas l'échec du message. De petits groupes subsistaient, approfondissant leur expérience religieuse. Les uns arrivèrent à la conviction que le sanctuaire mentionné dans Dan 8,14 était, selon l'*Épître aux Hébreux* et le livre du *Lévitique*, le sanctuaire céleste. D'autres, que la fidélité à la Parole de Dieu incluait l'observation du septième commandement du Décalogue, le sabbat. D'autres enfin, furent encouragés à persévérer dans l'étude de la Bible et l'espérance du retour de Christ par les visions d'une jeune fille nommée Ellen Gould Harmon. La rencontre de ces trois tendances, dans les années 1845-1848, constitua les prémices de l'Église adventiste du septième jour.

Bien qu'elle devint l'héritière principale du mouvement millérite, l'Église adventiste du septième jour n'est pas seule à avoir subsité. On reconnaît, en outre, les dénominations suivantes :

1. The Evangelical Adventists organisés en 1858 sous le nom de American Millenial Association. Ils croient aux souffrances éternelles des damnés.

2. The Advent Christians organisés en 1861. Ils croient en l'immortalité conditionnelle.

3. The Seventh-day Adventists, ou Adventistes du septième jour se séparèrent de ces deux groupes et s'organisèrent en dénomination en 1860 et 1863.

4. The Church of God, organisée en 1866. Cette Église observe le sabbat mais diffère sur d'autres points.

5. The Life and Advent Union, réunie autour de J.T. Walsh et G. Storrs. Ce groupe croit que les perdus ne ressusciteront jamais

6. The Churches of God in Christ Jesus, appelés parfois les Adventistes de l'âge à venir.

Tous ces groupes constituent ensemble quelques dizaines de milliers de croyants regroupés essentiellement aux États-Unis.

NAISSANCE DE
L'ÉGLISE ADVENTISTE DU SEPTIÈME JOUR

Nombre d'Adventistes avaient été rejetés de leur Église pour avoir partagé les vues de William Miller. Quelque peu désorientés, ils se retrouvèrent pour prier ensemble et étudier la Bible. Partageant leurs découvertes et militant contre les tendances extrémistes, certains se regroupèrent autour de Joseph Bates, Hiram Edson, James White, et des hommes cultivés tels que John N. Andrews, John Loughborough et Uriah Smith. James White, jeune instituteur et excellent organisateur, contribuera le premier à l'unité des groupes par la publication d'un journal : *Present Truth* (La Vérité présente).

Il faut attendre 1853 pour voir la première tentative d'organisation par l'attribution de lettres de recommandation aux prédicateurs itinérants. A cette époque, nul ne voulait entendre parler d'organisation, l'amour fraternel devant être le lien suffisant pour unir les Adventistes. Mais bientôt, compte tenu de l'ampleur prise par les publications, il fallut se donner une identité juridique. Quelques assemblées générales donnèrent au groupe le sentiment d'une cohésion. En 1859 l'une d'entre elles adopta le principe de la dîme pour subvenir aux besoins des prédicateurs.

En 1861, l'assemblée générale se dota d'une organisation administrative et prit le nom d'Église adventiste du septième jour. Adventiste, parce qu'elle voulait maintenir vivante en son sein l'espérance du retour du Christ. Du septième jour, parce que l'attente impliquait à leurs yeux l'obéissance aux commandements de Dieu, y compris le quatrième qui exige le repos du septième jour de la semaine. L'assemblée représentait alors 3.500 Adventistes conduits par 30 pasteurs et regroupés dans 125 Églises. Sous l'impulsion de ses chefs et d'Ellen G. Harmon devenue l'épouse de James White, cette toute jeune Église devait connaître un rapide essor.

Une attention toute particulière est à donner à Ellen White, compte tenu du rôle central de son ministère au sein de l'Église adventiste.

ELLEN GOULD WHITE

Ellen Harmon est née le 26 novembre 1827 dans une petite ferme de Gorham, dans l'État du Maine. Victime d'un accident à l'âge de neuf ans, elle ne fréquentera plus d'école, mais continuera à se rendre à l'église méthodiste avec ses parents et ses sept frères et sœurs. Dès l'été 1840, elle accepta l'enseignement de W. Miller. Exclue avec sa famille de l'Église méthodiste, elle connut l'heureuse attente, et l'amère déception de 1844. En décembre de la même année, alors qu'elle se trouvait en prière avec quelques amies, Ellen eut une vision sur la destinée du mouvement adventiste. Acceptée par les uns, rejetée par les autres, elle n'en continua pas moins à témoigner du contenu de ses visions auprès de ceux qui l'accueillaient.

Bien qu'elle-même charismatique et bénéficiant tout au long de sa vie de plus de deux mille visions, Ellen se montrera dès le départ opposée au fanatisme. Elle combattit le sentimentalisme et le spectaculaire au profit de l'esprit d'humilité, de service et de foi. Le 30 août 1846 elle épousa James White et se trouva dès lors engagée dans une oeuvre déterminante pour la fondation et le développement de l'Église adventiste du septième jour.

Les débuts du jeune couple furent difficiles. James prêcha et donna des conférences tout en assurant la charge de la famille. Ils connurent la pauvreté et parfois la détresse. En 1848, Ellen encouragea son mari à publier un petit journal. La publication se fit à crédit et les frais furent couverts par les contributions des lecteurs. Ensemble, ils acceptèrent l'enseignement de Joseph Bates sur le sabbat et militèrent en faveur du regroupement des Adventistes dispersés.

Tout en rendant témoignage de ses convictions et de ses visions, Ellen se mit à écrire. Lorsqu'elle mourra en 1915, elle aura couvert quarante-cinq mille pages dactylographiées, soit une soixantaine de volumes, quatre mille cinq cents articles de revues et plus d'un millier de lettres. Ses ouvrages sont aujourd'hui diffusés par millions d'exemplaires et traduits dans plus d'une centaine de langues. Outre sa vaste influence morale et spirituelle, E.G. White contribua à l'évolution de l'Église adventiste dans plusieurs domaines particuliers :

1. Dès 1850, elle lutta avec son mari contre le désordre et le fanatisme. Malgré la forte opposition qui qualifiait toute organisation de 'Babylone', Ellen proclama qu'au contraire 'Babylone' signifiait confusion. Elle encouragea l'organisation démocratique du mouvement et soutint la proposition de J. N. Andrews d'adopter le principe de la dîme pour le financement des prédicateurs.

2. Après la mort de ses deux premiers enfants (elle en a eu quatre), elle commença à écrire sur la santé. A partir de 1863 elle ne cessa de recommander la pratique d'une vie saine, l'abstinence du tabac, de l'alcool etc., et une médecine naturelle et préventive. Sur son impulsion, un premier sanatorium fut édifié à Battle Creek en 1866.

3. James White s'était intéressé très tôt à l'instruction de la jeunesse. En 1852 il publia à son intention *The Youth Instructor* (L'Enseignant des jeunes). Des écoles primaires furent ouvertes en 1853 et 1856 pour offrir un cadre adventiste aux enfants. Ellen White encouragea une éducation équilibrée dans laquelle le travail manuel occupa une place importante. Articles et ouvrages se

succédèrent pour une éducation physique, mentale et spirituelle. Une première école officielle fut ouverte en 1873, à Battle Creek, Michigan. Voyageant en Australie en 1893, E.G. White encouragea la petite communauté de cinq cents croyants à acquérir une vaste propriété de six cents hectares pour l'édification d'un collège supérieur. Aujourd'hui, l'oeuvre adventiste d'éducation est la seconde au monde après celle de l'Église catholique.

4. Peut-être aurait-il fallu mentionner en premier lieu l'oeuvre des publications. Toujours sous l'impulsion d'Ellen White, une première société d'édition et une imprimerie furent mises sur pied, en 1861. Elle encouragea le colportage qui, par le moyen du porte à porte, permettait le témoignage chrétien.

5. Enfin, l'oeuvre doctrinale d'E.G. White n'est pas à négliger. Non qu'elle apporta des lumières nouvelles, mais elle encouragea certains enseignements et en dénonça d'autres. Ainsi, elle soutint Joseph Bates dans sa présentation du sabbat comme jour du repos. Lors de l'assemblée générale de Minneapolis en 1888, une large confrontation opposa ceux qui mettaient l'accent sur les oeuvres, par crainte d'antinomisme, et ceux qui mettaient l'accent sur la foi, par crainte de légalisme. E.G. White recommanda la lecture de l'*Épître aux Galates* et travailla, par la suite, à l'équilibre des deux tendances.

Ellen White encouragea son Église à l'étude de la Bible comme révélation première. Elle écrivit : "Je vous recommande, chers lecteurs, la Parole de Dieu comme la règle de votre foi et de votre pratique. Nous serons jugés par cette Parole. Dans sa Parole, Dieu a promis de donner des visions dans les derniers jours. Non pour établir une nouvelle règle de foi, mais pour le réconfort de son peuple, et pour corriger ceux qui s'éloignent de la vérité biblique" (*Early writings*, Washington, 1945, 78).

Ellen White perdit son mari en 1881. Après 1884 elle n'eut que de rares visions en public, mais elle fut encore gratifiée de nombreux songes prophétiques jusqu'à la fin de sa vie. Veuve, elle voyagea beaucoup, travaillant en Europe de 1885 à 1887, en Australie de 1891 à 1900. Pendant les quinze dernières années de sa vie, elle se fixa à St Helena en Californie d'où elle rayonna dans tous les États-Unis, traversant le pays d'une côte à l'autre. Elle mourut le 16 juillet 1915 à l'âge de 87 ans. Un journaliste écrira : "A-t-elle vraiment reçu des visions divines ? Était-elle vraiment choisie par le Saint-Esprit pour être douée du charisme de la prophétie ? Pourquoi devrions-nous donner une réponse ?...De toute façon, elle a été absolument honnête dans sa foi en ses révélations. Sa vie était digne d'elles. Elle n'a montré aucun orgueil spirituel et ne rechercha aucun gain sordide. Elle mena la vie et accomplit l'oeuvre d'une prophétesse avec dignité." *(The Independant*, New York 23 août 1915).

LES CRISES DE CROISSANCE

Le développement de l'Église adventiste ne s'est pas fait sans accrocs. Un certain nombre de crises mettent en évidence, par leur contenu même, les tensions propres au mouvement. On notera que les problèmes soulevés demeurent de façon latente et resurgissent sporadiquement. Les 'Réformistes' accusent l'Église de libéralisme. Le mouvement réformiste est né en Allemagne après la dernière guerre. Il reprochait à l'Église de n'avoir pas pris des positions plus tranchées vis-à-vis de la politique hitlérienne. Les 'Évangéliques' reprochent à l'Église son légalisme. Les Évangéliques, très peu nombreux, se dénomment eux-mêmes ainsi pour souligner l'accent qu'ils désirent mettre sur le salut par la foi seule. Le débat est engagé et on peut y voir l'expression d'une bonne santé.

Crise administrative.

Dès la mise en place de l'organisation de l'Église, celle-ci fut constament remise en question. Si aujourd'hui sa nécessité n'est plus mise en doute, son adéquation aux réalités du monde suscite des critiques et conduit à un renouvellement permanent en vue d'une réduction du personnel administratif. L'assemblée mondiale de 1985 a vu le regroupement de diverses missions et l'apparition d'une contribution plus conséquente des laïcs dans les conseils d'administration.

Mais les crises, dont l'Église garde le souvenir, tiennent surtout à la défection d'importantes personnalités. Par exemple :

1. J.H. Kellogg (1852-1893), chirurgien de réputation mondiale, dirigeait un sanatorium et une école d'infirmières à Battle Creek, Michigan. Il inventa les fameux Corn Flakes, largement répandus dans le monde aujourd'hui, ainsi que d'autres aliments à base de céréales. Kellogg entra cependant en conflit avec l'Église en répandant des idées panthéistes et en engageant des dépenses sans l'aval de celle-ci. Profitant des faiblesses de l'organisation à ses débuts, il s'appropria le sanatorium et la fabrique alimentaire. A la suite de cette expérience fâcheuse, toutes les propriétés adventistes furent dorénavant acquises au nom d'une société et non plus au nom d'une personne.

2. D.M. Canright (1840-1919), prédicateur et membre du bureau responsable de l'Église sur le plan mondial, est un autre exemple de ces défections. Il démissionna de ses fonctions en 1887 pour devenir prédicateur baptiste, puis quitta en 1889, sa charge de pasteur baptiste pour se consacrer à des publications contre l'Église adventiste. La même année, il publia un ouvrage intitulé *Seventh-day Adventism Renounced*, dans lequel il prit position contre la doctrine de l'imminence du retour du Christ, la validité du Décalogue et le ministère d'E.G. White.

3. L.R. Conradi (1856-1939), infatigable prédicateur, présida aux destinées de l'Église adventiste en Europe centrale. Sous son impulsion, le message adventiste connut une expansion sans pareille en Allemagne. En 1932, à l'âge de 76 ans, il se sépara de l'Église pour devenir prédicateur baptiste du septième jour. Compte tenu de son rayonnement antérieur, son départ eu d'importantes répercussions en Allemagne.

4. C.T. Russell (1852-1976) est parfois considéré comme un schismatique des Adventistes. Mais à vrai dire, si le fondateur des Témoins de Jéhovah a connu l'adventisme, son passage est trop fugitif pour faire des 'Watch Tower' une branche historique de l'Église Adventiste

La nature du Christ.

Certaines personnalités très importantes du début du mouvement adventiste, tels que J. White, J. Bates, J.H. et E.J. Waggoner, W.W. Prescott défendaient des idées ariennes. Pour eux, la subordination du Fils au Père était indiscutable, et la doctrine de la Trinité n'avait pas de fondement biblique. Ils ne niaient pas le divinité du Christ, mais déclaraient qu'il avait eu un commencement. Petit à petit, la position trinitaire prévalut. Ellen White ne traita pas de la question avec son mari et ses associés, mais dans ses écrits, elle maintint l'égalité de Christ avec Dieu. Aujourd'hui, le débat porte plutôt sur la nature humaine du Christ ; si pour les anciens le Christ revêtit notre nature humaine de péché, pour les modernes sa nature était identique à celle d'Adam avant la chute.

Ellen G. White.

Le ministère prophétique d'Ellen White n'a jamais fait l'unanimité dans l'Église adventiste. Dès ses premières visions, certains ont fait opposition à ses messages et mis en doute leur origine inspirée. L'usage abusif de ses écrits fait par d'autres ont amené nombre d'Adventistes à prendre leurs distances par rapport à son enseignement. Mais d'une façon générale, la confiance demeure et la crise récente produite par la publication de l'ouvrage de W. Rea, *The White lie*, Turlock, California, 1982, n'a pas entamé le crédit qu'on lui porte. Notons cependant, qu'une vaste réflexion est engagée maintenant sur la nature de l'inspiration prophétique en général.

La justification par la foi.

Lors de la grande assemblée de Minneapolis en 1888, appelée communément Conférence générale par les Adventistes, E.J. Waggoner et A.T. Jones soutinrent la thèse de la justification par la foi seule. Leur message fut reçu par une partie de l'Église, l'autre craignant le développement d'idées antinomistes. Depuis cette date, la doctrine de la justificationn par la foi a fait l'objet d'une constante auto-évaluation.

Citons pour mémoire quelques publications récentes : L.H.

Christian, *The Fruitage of Spiritual Gifts*, 1947 ; A.W. Spalding, *Captains of the Host*, 1949 ; N.F. Pease, *By Faith Alone*, 1962 ; A.V. Olson, *Through Crisis to Victory : 1888-1901*, 1966 ; L.E. Froom, *Movement of Destiny*, 1972. Tous aboutissent à un bilan positif. Par contre R.E. Wieland-D.K. Short, *1888 Re-examined*, 1950 ; G.J. Paxton, *The Shaking of Adventism*, 1977 ; R. Brinsmead, *Judged by the Gospel*, 1980, concluent à une prise de distance par rapport à la doctrine de la Réforme.

Ce débat fait bien état de la position critique de la doctrine adventiste entre l'indicatif de la foi et l'impératif de l'obéissance.

L'eschatologie.

La crise la plus importante connue par l'Église adventiste dans le domaine de l'eschatologie est probablement celle qui est survenue en 1979 à la suite de l'abandon par D. Ford de l'interprétation adventiste des prophéties bibliques. D. Ford, doyen d'Avondale College, en Australie, remit en question le principe jour-année, clef fondamentale de l'interprétation adventiste. Il publia en 1978 un commentaire du *Livre de Daniel* conforme à l'interpétation adventiste traditionnelle. L'année suivante, se ralliant aux thèses prétéristes et à l'approche symboliste des livres apocalyptiques, il remettait en question l'ensemble de l'eschatologie adventiste.

Cent quatorze théologiens et administrateurs du monde entier furent convoqués à Glacier View (Colorado) pour un débat de cinq jours (10-15 août 1980), en vue d'un examen des idées nouvelles. Les échanges aboutirent à un divorce entre la position de Ford et la position traditionnelle de l'Église. Depuis cette date, l'interprétation du *Livre de Daniel* et de l'*Apocalypse* fait l'objet de remises en question, et d'études systématiques, en vue d'étayer l'eschatologie adventiste par les méthodes modernes de l'exégèse biblique.

Ces débats constants manifestent la vitalité d'une jeune Église qui, répandue dans le monde entier, partage les tensions de la réflexion théologique. Cette capacité de réflexion et de recherche sont probablement cause, au moins en partie, de son expansion rapide sur tous les continents.

DÉVELOPPEMENT DE L'ÉGLISE ADVENTISTE

Les premiers Adventistes du septième jour étaient localisés dans les États de Nouvelle-Angleterre. Vers 1850, on relève l'existence de groupes à Portland, Paris, Boston, Oswego, Rochester. Puis Joseph Bates fonde des groupes au Canada. D'autres diffusent dans l'Ouest, limité à l'époque à la région des Grands Lacs. La ruée vers l'or entraînera quelques Adventistes vers la côte du Pacifique. Un délégué de Californie sera déjà présent à l'assemblée générale de 1868. Une fédération des Églises de Californie sera constituée en 1873. Compte tenu des positions anti-esclavagistes des premiers Adventistes, l'extension vers le Sud se fera très lentement.

Il n'y avait pas, au début, de stratégie globale de pénétration. Simplement un désir de répandre un message. Les moyens employés étaient essentiellement la distribution d'imprimés et des 'camp-meetings', grandes convocations sous une tente pouvant réunir jusqu'à dix mille personnes. Nul n'envisageait alors l'extension en dehors des États-Unis. Aux yeux des premiers Adventistes, l'Évangile avait été largement prêché dans le monde par les missions protestantes. De plus, la majorité des nations étant représentées aux États-Unis, il suffisait de s'adresser à tous ces ressortissants pour réaliser la prophétie de Jésus : "La bonne nouvelle du salut sera prêchée à toutes les nations, alors viendra la fin" (Mat 24,14). La conviction était si forte que les immigrants rentrant dans leur pays ne savaient pas s'ils pouvaient faire part de leur foi à leurs compatriotes. Mais des groupes se constituent en Europe dès 1864. L'Afrique du Sud est atteinte la même année, la Chine en 1888, la Turquie en 1889, l'Inde en 1893.

Cependant, l'extension de l'Église adventiste reposait grandement sur la diffusion de ses publications. Elle se développa donc essentiellement dans les milieux cultivés déjà christianisés. La jeune Église se concevait alors comme un petit troupeau à l'intérieur de la chrétienté. Il s'agissait pour elle de rassembler un petit reste au sein de la 'Babylone' corrompue. Il faudra attendre 1920 pour qu'elle prenne conscience de l'existence du monde païen et s'engage dès lors dans une vaste entreprise missionnaire sous toutes les latitudes.

De 5.400 en 1870, le nombre des Adventistes s'accrût au point d'atteindre 185.000 en 1920. Cinquante ans plus tard ils seront deux millions répandus sur toute la surface du globe. Aujourd'hui, on en dénombre plus de cinq millions. Ces chiffres peuvent être doublés ou triplés si l'on sait que seuls, les adultes baptisés sont inscrits dans les registres d'Églises.

En Europe.

La première prédication adventiste en Europe date de 1864. Cette année là, un ancien prêtre polonais, M.B. Czechowski convertit à l'adventisme lors d'un voyage aux États-Unis, parcourut les vallées vaudoises du Piémont et créa une petite communauté à Torre Pellice. Puis il se rendit en Suisse et établit en 1866, à Tramelan, la première Église adventiste en Europe. Après son départ pour la Pologne, certains de ses convertis découvrirent un exemplaire de l'organe officiel, la *Review and Herald*. Ils apprirent ainsi l'existence d'une Église organisée aux USA. Ils envoyèrent un des leurs, J. Erzberger qui, après un an de formation, revint pour veiller sur les Adventistes dispersés de Suisse. Sur la demande insistante des nouveaux convertis, l'organisation centrale se décida, en 1874, à envoyer J.N. Andrews afin d'entreprendre une vaste oeuvre missionnaire en Europe. Ce fut un tournant dans la perception par la communauté américaine de sa mission. Jusqu'alors confiné à l'Amérique du Nord, l'adventisme allait devenir un mouvement mondial.

Une imprimerie fut ouverte à Bâle. Elle diffusa dans toute l'Europe les convictions adventistes. En 1877 une communauté se constitua à Naples et une autre dix ans plus tard en Hollande. En 1887, J. Loughborough entreprit un vaste travail au sein des Baptistes du septième jour dans les régions de Londres et de Southampton. Il obtint très vite un important succès. Au cours de la décennie suivante, des groupes se constituèrent en Belgique, en Tchécoslovaquie, en Hongrie, en Pologne. Puis, au début du siècle, dans les Balkans, en Autriche, en Espagne et au Portugal. On peut estimer à près de dix mille le nombre d'Adventistes en Europe à la fin du siècle, 25 ans après la venue de J.N. Andrews.

La méthode d'approche était partout quasiment la même : distribution d'imprimés, recherche d'observateurs du sabbat, réunions publiques ou contacts personnels. A Southampton, W. Ings distribuait des paquets d'imprimés aux marins pour qu'ils les diffusent dans les ports. En Russie, P. Reiswig contournait l'interdiction de prêcher en s'installant sur les places de marché et en demandant aux passants de lui lire des extraits de journaux adventistes.

En Australie et dans les îles du Pacifique.

Un groupe de cinq familles fut envoyé en Australie en 1885 pour y répandre la foi adventiste. Distributions de tracts, conférences publiques aboutirent en moins d'une année à la création d'une communauté de 90 membres dans la ville de Melbourne. Une imprimerie fut mise sur pied en 1886 et les abonnements à la revue *Bible Echo* furent tels que les frais d'équipement furent couverts en moins de trois mois. En 1891, Ellen White vint soutenir la jeune communauté par un ministère qui durera près de dix ans. Dès 1894 une fédération d'Églises fut constituée, recouvrant l'Australie, la Nouvelle-Zélande et diverses îles. S'ajouteront par la suite, Pitcairn, la Polynésie française, les îles Cook, Fidji, Samoa, les Nouvelles-Hébrides, les îles Salomon et la Nouvelle-Guinée. Chaque avancée fut source d'aventures, mais le rapide succès soutint l'enthousiasme des nouveaux convertis.

En Amérique du Sud.

Le message adventiste parvint en Amérique du Sud à la suite d'une correspondance entre des Vaudois du Piémont et leurs coreligionnaires émigrés en Argentine. Puis, en 1890 des fermiers russes d'origine allemande décidèrent d'abandonner leur ranch au Kansas pour partager leur nouvelle foi avec des immigrés d'Argentine. Un an plus tard, quatre colporteurs allèrent de porte en porte pour vendre la littérature adventiste. Lorsque qu'en 1895, la première Église fut organisée à Diamante, elle comprenait 32 membres. En 1899 s'ouvrait le premier collège adventiste et neuf ans plus tard la première clinique : El Sanatorio Adventista del Plata.

L'implantation de l'Église adventiste en Amérique du Sud se fit essentiellement par le travail des colporteurs. Ceux-ci vendaient des Bibles et étudiaient les Saintes Écritures dans les foyers qui les recevaient. C'est ainsi qu'ils créèrent, ici et là, des communautés au Chili, au Paraguay, en Bolivie, au Venezuela, en Équateur et dans toute l'Amérique centrale. En Guyane, le capitaine d'un navire jeta sur le quai un paquet de revues, réalisant ainsi la promesse faite à un Adventiste de New York. Les indigènes s'en emparèrent et une correspondance s'en suivit. Une Église fut organisée en 1887.

Au Pérou, les Adventistes connurent un grand succès auprès des Indiens de la région du lac Titicaca. Des villages entiers se convertirent et des écoles furent ouvertes un peu partout. L'ouverture d'une clinique contribua à établir l'Église dans cette région.

En Asie et au Moyen-Orient.

L'Orient ne fut pas d'un accès facile. La foi nouvelle se répandit d'abord parmi les colons anglais de la côte indienne, et des Églises anglaises furent ouvertes dans diverses villes. Un retraité originaire de Californie, A. Larue ouvrit un magasin de produits diététiques à Hong-Kong. Faisant traduire des brochures en chinois, il s'appliqua pendant quinze ans à les distribuer à ses clients. Le développement de l'Église adventiste se fit surtout au travers de l'enthousiasme des nouveaux convertis autochtones. Ils visitèrent l'intérieur de la Chine, l'Inde, le Pakistan. Le Japon fut touché grâce à des immigrés japonais de Californie. Ils décidèrent de retourner dans leur pays pour y partager leur foi. Un groupe de soixante personnes se réunissaient déjà à Tokyo en 1899. Après sa conversion, un jeune Coréen décida de quitter le Japon pour la Corée. Il lui suffit de quelques semaines pour organiser quatre groupes d'un total d'environ cinquante personnes. L'Église s'implanta ensuite en Orient par la création d'écoles professionnelles, de dispensaires et d'hôpitaux. Il en fut de même en Turquie, en Iran, en Irak et au Liban.

En Afrique.

L'Afrique fut atteinte par le Sud. Des colons hollandais prirent connaissance de la littérature adventiste et demandèrent la venue d'un prédicateur. Puis une oeuvre missionnaire fut entreprise en 1894 parmi les Matabélés de Rhodésie. Dix ans plus tard, des écoles furent ouvertes au Malawi, en Zambie et au Lesotho. En 1920 des publications pénétrèrent au Swaziland, traduites en zoulou, et une clinique fut ouverte au Botswana. Puis, petit à petit, des missions associant dispensaire et écoles furent installées dans la plupart des pays d'Afrique. On y recense aujourd'hui plus d'un million trois cent mille Adventistes.

Ainsi donc, le développement de l'Église adventiste s'est fait, tout d'abord, par la diffusion de ses publications disponibles aujourd'hui en plus de 189 langues et dialectes. Actuellement, l'Église dispose de 51 imprimeries dispersées dans le monde. Son oeuvre sociale est importante puisqu'elle gère plus de 4.450 écoles primaires, 901 écoles secondaires et 94 universités ou écoles supérieures. On dénombre en 1986, 152 hôpitaux, 266 cliniques ou dispensaires, 65 maisons de retraite, offrant ensemble 25.390 lits. Y travaillent : 2.767 médecins, 14.519 infirmières et 34.460 employés divers.

Près de trois cents nouveaux missionnaires quittent chaque année leur patrie pour servir leur Église dans le monde. Un dynamisme qui tient au message porté et à la générosité des adeptes. Les Adventistes estiment avoir reçu une vocation toute particulière : avertir le monde du proche retour du Christ et inviter chacun à se préparer à ce glorieux événement avant qu'il ne soit trop tard.

Doctrine

INTRODUCTION

Les Adventistes du septième jour, n'ont pas à proprement parler de credo. Ils professent, cependant, un certain nombre de croyances fondamentales, susceptibles d'être révisées lors d'une assemblée mondiale (ou Conférence générale), mais dont le contenu a, de fait, fort peu évolué depuis les origines du mouvement. Ils partagent avec les Églises membres du Conseil mondial des Églises les déclarations doctrinales essentielles. Les conversations des Adventistes avec le Conseil mondial des Églises ont abouti au constat suivant établi par le Dr Paul Schwarzenau, théologien luthérien, rapporteur de la commission chargée d'établir les accords doctrinaires entre l'Église adventiste et les Églises chrétiennes appartenant au Conseil mondial :

"L'Église adventiste du septième jour n'est pas en désaccord avec le fondement théologique du Conseil mondial des Églises tel qu'il a été voté à New Delhi en 1961 : "Le Conseil mondial des Églises est une communion d'Églises qui confessent le Seigneur Jésus-Christ comme Dieu et Sauveur selon les Écritures et cherchent en conséquence à remplir leur commune vocation à la gloire du Dieu un, Père, Fils et Saint-Esprit.

Les Églises membres du Conseil mondial des Églises et les Adventistes du septième jour acceptent pareillement les articles fondamentaux de la foi chrétienne tels qu'ils ont été énoncés par les trois anciens symboles de l'Église (*Apostolicum, Nicaeno-Constantinopolitum, Athanasium*)...

Les Adventistes partagent pleinement le principe scripturaire protestant (*sola scriptura*) et la doctrine réformée de la justification par la foi (*sola fide, sola gratia per Christum*). Ils partagent aussi le lien protestant qui unit justification et sanctification. Les bonnes oeuvres ne sont pas les moyens de la justification mais ses fruits..."(*So much in common*, Genève, Conseil mondial des Églises, 1973, 107).

Si les Adventistes peuvent être ainsi considérés comme membres à part entière de la grande famille protestante, ils professent, cependant, quelques croyances dont on ne trouve la réplique dans aucune communauté chrétienne.

Pour se faire une image de l'enseignement adventiste, il convient d'examiner leurs croyances fondamentales. La dernière formulation date de leur assemblée mondiale tenue à Dallas, au Texas, en 1980. Elle comprend 27 articles. Nous les reproduisons ici en les faisant suivre d'un bref commentaire.

LES SAINTES ÉCRITURES

"Les saintes Écritures - l'Ancien et le Nouveau Testament - sont la Parole de Dieu écrite, communiquée grâce à l'inspiration divine par l'intermédiaire de saints hommes de Dieu qui ont parlé et écrit sous l'impulsion du Saint-Esprit. Dans cette Parole, Dieu a confié à l'homme la connaissance nécessaire au salut. Les saintes Écritures constituent la révélation infaillible de sa volonté. Elles sont la norme du caractère, le critère de l'expérience, le fondement souverain des doctrines et le récit digne de confiance des interventions de Dieu dans l'histoire." (2 Pi 1, 20,21 ; 2 Tim 3, 16-17 ; Ps 119, 105 ; Pro 30, 5,6 ; Es 8, 20 ; Jean 10, 35 ; 17, 17 ; 1 Th 2, 13 ; Héb 4, 12).

Les Adventistes réservent à la Bible un profond respect. Ils la considèrent comme normative dans le domaine de la foi et de l'éthique. S'ils refusent l'inspiration verbale, Dieu n'ayant pas dicté mot à mot les Écritures, ils considèrent, cependant, qu'au travers des mots humains dont le livre est formé, Dieu parle aux hommes.

L'Ancien Testament est étudié à l'égal du Nouveau. Ils constituent ensemble la Parole de Dieu, le critère fondamental de la foi.

Les pasteurs adventistes sont formés à l'étude de la Bible par l'acquisition des langues originales. On leur reconnaît généralement une bonne connaissance biblique. Ils intègrent à leurs études les sciences historiques, systématiques et pratiques et acquièrent souvent un niveau universitaire. Mais dans les communautés, la lecture biblique demeure proche du fondamentalisme.

Les enfants et les adultes se retrouvent régulièrement chaque semaine dans une étude commune de la Bible appelée 'l'école du sabbat'. Un animateur dirige les débats autour d'un thème étudié pendant la semaine. Cette réunion précède le culte du samedi.

LA TRINITÉ

"Il y a un seul Dieu : Père, Fils et Saint-Esprit, unité de trois personnes coéternelles. Dieu est immortel, omnipotent, omniscient, souverain et toujours présent. Il est infini et dépasse la compréhension humaine ; cependant, il peut être connu grâce à la révélation qu'il donne de lui-même. Il est pour toujours digne d'être invoqué, adoré et servi par toute la création." (Dt 6, 4 ; 29, 29 ; Matt 28, 19 ; 2 Co 13, 14 ; Eph 4, 4-6 ; 1 Pi 1, 2 ; 1 Tim 1, 17 ; Apoc 14, 6-7).

Réduite à deux articles en 1971 la nouvelle confession de foi adventiste sur la divinité est passée aujourd'hui à quatre. Mais il n'y a aucun changement sur le fond : la formulation est seulement devenue plus précise. Elle comporte en outre un article sur le Père et un autre sur le Saint-Esprit.

LE PÈRE

"Dieu, le Père éternel, est le Créateur, la Source, le Soutien et le Souverain de toute la création. Il est juste et saint, miséricordieux et compatissant, lent à la colère, riche en bienveillance et en fidélité. Les vertus et les facultés manifestées par le Fils et le Saint-Esprit sont aussi révélatrices du Père." (Gen 1, 1 ; Apoc 4, 11 ; 1 Cor 15, 28 ; Jean 3, 16 ; 1 Jean 4, 8 ; 1 Tim 1, 17 ; Ex 34, 6,7 ; Jean 14, 9).

La littérature adventiste accorde une grande place au jugement dernier. Le plan du salut est expliqué par la nécessité devant laquelle s'est trouvé le Père de préserver sa justice et de sauvegarder sa loi bafouée par le péché. On se serait attendu, dès lors, à une image sombre de Dieu. Cependant, des pages fort belles, particulièrement dans les écrits d'E.G. White, insistent sur la miséricorde du Père, sa tendresse, son amour indéfectible pour l'homme pécheur.

LE FILS

"Dieu, le Fils éternel, s'est incarné en Jésus-Christ. Par lui, tout a été créé ; par lui, le caractère de Dieu est révélé, le salut de l'humanité est accompli et le monde est jugé. Éternellement et véritablement Dieu, il est aussi devenu véritablement homme, Jésus le Christ. Il a été conçu du Saint-Esprit et il est né de la vierge Marie. Il a vécu et a été soumis à la tentation en tant qu'homme, mais il a donné l'exemple parfait de la justice et de l'amour de Dieu. Ses miracles ont mis en évidence la puissance de Dieu et l'ont confirmé comme le Messie promis. Il a souffert et il est mort de son plein gré sur la croix pour nos péchés et à notre place, il est ressuscité des morts et il est monté exercer un ministère en notre faveur dans le sanctuaire céleste. Il reviendra en gloire pour délivrer définitivement son peuple et rétablir toutes choses." (Jean 1, 1-3.14 ; 5, 22 ; Col 1, 15-19 ; Jean 10, 30 ; 14, 9 ; Rom 5, 18 ; 6, 23 ; 2 Cor 5, 17-21 ; Luc 1, 35 ; Phi 2,

5-11 ; 1 Cor 15, 3-4 ; Héb 2, 9-18 ; 7, 25 ; 8, 1-2 ; 9, 28 ; Jean 14, 1-3 ; 1 Pi 2, 21 ; Apoc 22, 20).

L'étude du mystère des rapports entre la divinité et l'humanité du Christ pendant son incarnation ne fait pas l'unanimité parmi les théologiens adventistes. Ils n'en confessent pas moins la pleine humanité et la pleine divinité du Christ, rejetant l'arianisme et les doctrines issues du gnosticisme. Leur approche, à vrai dire, est plus existentielle que dogmatique.

LE SAINT-ESPRIT

"Dieu, l'Esprit éternel, a pris, avec le Père et le Fils, une part active à la création, à l'incarnation et à la rédemption. Il a inspiré les écrivains de la Bible. Il a rempli de puissance la vie du Christ. Il attire et persuade les êtres humains ; ceux qui répondent favorablement, il les régénère et les transforme à l'image de Dieu. Envoyé par le Père et le Fils pour être toujours avec ses enfants, il dispense ses dons spirituels à l'Église, lui donne la puissance nécessaire pour rendre témoignage au Christ, et, en harmonie avec les Écritures, la conduit dans toute la vérité." (Gen 1, 1,2 ; Luc 1, 35 ; 2 Pi 1, 21 ; Luc 4, 18 ; Act 10, 38 ; 2 Cor 3, 18 ; Eph 4, 11-12 ; Act 1, 8 ; Jean 14, 16-18.26 ; 15, 26-27 ; 16, 7-13 ; Rom 1, 1-4).

Fortement charismatique dès ses origines, en raison du don prophétique d'Ellen White, l'Église adventiste s'est toujours refusée de réduire le Saint-Esprit à une puissance. Elle lui reconnaît les attributs de la personnalité. Si l'être de l'Esprit dépasse les limites de l'entendement humain, sa présence et son oeuvre sont indispensables à la vie de l'Église.

LA CRÉATION

"Dieu a créé toutes choses et nous a révélé dans les Écritures le compte rendu authentique de son activité créatrice. En six jours, le Seigneur a fait 'les cieux et la terre' et tout ce qui vit sur la terre, et il s'est reposé le septième jour de cette première semaine. Il a par là même institué le sabbat comme mémorial perpétuel d'une oeuvre créatrice achevée. Le premier couple, homme et femme, fut créé à l'image de Dieu comme le couronnement de la création ; il reçut le pouvoir de dominer le monde et fut chargé d'en prendre soin. Dès son achèvement, le monde était "très bon" et proclamait la gloire de

Dieu." (Gen 1, 2 ; Ex 20, 8-11 ; Ps 19, 1-6 ; 33, 6-9 ; 104 ; Héb 11, 3 ; Jean 1, 1-3 ; Col 1, 16,17).

Les Adventistes rejettent les thèses évolutionnistes et défendent avec acharnement le créationisme. Ils ont mis sur pieds un institut (Geoscience Research Institute, Loma Linda University, Californie), et publient régulièrement des articles scientifiques en faveur de la création. Les arguments évolutionnistes sont combattus à l'aide des thèses catastrophistes. Ils considèrent le récit biblique du déluge comme un témoin d'une catastrophe universelle ayant présidé à la formation des roches et du paysage actuel.

Dieu étant l'auteur de la matière, celle-ci n'est pas mauvaise en soi. Il appartient à l'homme de la maîtriser en vue d'un usage légitime, et dans le respect de la vie. D'où l'ouverture des Adventistes aux recherches technologiques ou biologiques. L'université de Loma Linda, en Californie, est réputée pour sa formation médicale et ses succès dans le domaine de la transplantation cardiaque.

LA NATURE DE L'HOMME

"L'homme et la femme furent créés à l'image de Dieu et dotés d'une individualité, du pouvoir et de la liberté de penser et d'agir. Bien que créé libre, chacun d'eux, constitué d'une unité indivisible, corps, âme et esprit, était dépendant de Dieu pour la vie, la respiration et toutes choses. Quand nos premiers parents désobéirent à Dieu, ils refusèrent de dépendre de lui et furent déchus de la position élevée qu'ils occupaient vis-à-vis de Dieu. L'image divine fut altérée en eux et ils devinrent mortels. Leurs descendants participent de cette nature déchue et en supportent les conséquences. Ils naissent avec des faiblesses et des tendances au mal. Mais Dieu – en Christ – a réconcilié le monde avec lui-même, et, par son Esprit, il rétablit chez les mortels repentants l'image de Celui qui les a faits. Créés pour la gloire de Dieu, ils sont appelés à l'aimer, à s'aimer les uns les autres et à prendre soin de leur environnement." (Gen 1, 26-28 ; 2, 7 ; Ps 8, 4-8 ; Act 17, 24-28 ; Gen 3 ; Ps 51, 7 ; Rom 5, 12-17 ; 2 Cor 5, 19-20).

Certains Adventistes se fondant sur 1 Thess 5, 23, voient l'homme formé de trois éléments distincts : le corps matériel, l'âme comme siège des affections et des instincts, et l'esprit organe du divin. D'autres, s'inscrivant dans la tradition de l'Ancien Testament, préfèrent souligner l'unité existentielle de l'homme dans ses manifestations corporelles, psychiques et spirituelles. Mais tous rejettent le dualisme et soutiennent l'immortalité conditionnelle de l'âme et l'unité foncière de l'homme.

Le corps discipliné et soigné, mérite respect, bien que destiné à la destruction. La vie affective, psychique, doit être soumise à l'esprit, par lequel Dieu entre en contact avec l'homme. D'où l'importance donnée par les Adventistes à l'éthique chrétienne, à l'hygiène de vie et à une certaine ascèse alimentaire.

L'importance accordée par les Adventistes au récit de la création les conduit à souligner, d'une part, la dépendance absolue de la créature par rapport au Créateur (le mal étant perçu comme désir d'indépendance et d'auto-suffisance), d'autre part, la totale liberté d'obéissance accordée par Dieu à l'homme. En Jésus-Christ, tout homme a "le pouvoir de devenir enfant de Dieu". De ce choix constant entre le désir d'autonomie et la soumission volontaire à la Volonté divine, dépend la destinée de chaque individu. L'adventisme est ici proche du méthodisme.

Les Adventistes rejettent la doctrine de la double prédestination. Ils mettent en évidence le caractère conditionnel, aussi bien des promesses, que des avertissements divins.

LE GRAND CONFLIT

"L'humanité tout entière est actuellement impliquée dans un vaste conflit entre le Christ et Satan, concernant le caractère de Dieu, sa loi et sa souveraineté sur l'univers. Ce conflit éclata dans le ciel lorsqu'un être créé, doté de la liberté de choisir, devint, par une exaltation de sa personne, Satan, l'ennemi de Dieu, et entraîna dans la révolte une partie des anges. Il introduisit un esprit de rébellion dans ce monde lorsqu'il incita Adam et Ève à pécher. Ce péché humain eut pour conséquence l'altération de l'image de Dieu dans l'humanité, la perturbation du monde créé et sa destruction lors du déluge universel. Au regard de toute la création ce monde est devenu le théâtre du conflit universel dont, en fin de compte, le Dieu d'amour sortira réhabilité. Afin de prêter main-forte à son peuple dans ce conflit, le Christ envoie le Saint-Esprit et les anges fidèles pour le guider, le protéger et le soutenir sur le chemin du salut."

(Apoc 12, 4-9 ; Es 14, 12-14 ; Ez 28, 12-18 ; Gen 3, 6-8 ; 2 Pi 3, 6 ; Rom 1, 19-32 ; 5, 12-21 ; 8, 19-22 ; Héb 1, 3-14 ; 1 Cor 4, 9).

Au problème du mal, les Adventistes répondent par une angélologie : le monde est victime d'une entreprise démoniaque en révolte contre la souveraineté divine. Le plan du salut est fondé sur le désir de Dieu de délivrer l'homme de la pénalité de la loi. Jésus vint ici-bas en qualité de substitut divin pour prendre sur lui les péchés des hommes. Sa mort innocente condamne le péché et son initiateur angélique appelé Lucifer ou Satan.

VIE, MORT ET RÉSURRECTION DU CHRIST

"La vie du Christ, parfaitement soumise à la volonté divine, ses souffrances, sa mort et sa résurrection sont les moyens nécessaires auxquels Dieu a pourvu pour libérer l'homme du péché, en sorte que tous ceux qui, par la foi, acceptent ce rachat obtiennent la vie éternelle. Dès lors, la création tout entière peut mieux comprendre l'amour saint et infini du Créateur. Cette réconciliation parfaite prouve la justice de la loi de Dieu et la noblesse de son caractère ; en effet, elle condamne notre péché tout en pourvoyant à notre pardon. La mort du Christ a une valeur substitutive et rédemptrice ; elle est propre à réconcilier et à transformer. Sa résurrection proclame le triomphe de Dieu sur les forces du mal, et, pour ceux qui acceptent la réconciliation, elle atteste leur victoire finale sur le péché et la mort ; elle démontre la seigneurie de Jésus-Christ, devant qui tout genou ploiera dans les cieux et sur la terre." (Jean 3, 16 ; Es 53 ; 2 Cor 5, 14.15.19-21 ; Rom 1, 4 ; 3, 25 ; 4, 25 ; 8, 3-4 ; Phil 2, 6-11 ; 1 Jean 2, 2 ; 4, 10 ; Col 2, 15).

Pour les Adventistes, la loi divine, expression du caractère et de la personne même du Créateur, est l'enjeu du conflit majeur entre Satan et Dieu. Par sa vie de soumission et de parfaite obéissance au Père, Jésus a montré la pleine validité et la pérennité (Matt 5, 17-19) de cette loi. Il a ainsi réduit à néant les accusations sataniques. En Jésus, la loi de Dieu est exaltée et l'iniquité condamnée. Sa victoire assure à l'homme repentant le pardon et établit en lui l'espérance de la résurrection.

L'EXPÉRIENCE DU SALUT

"Le Christ, qui n'a pas connu le péché, Dieu, dans son amour et sa miséricorde, l'a fait péché pour nous, afin que nous devenions en lui justice de Dieu. Sous l'influence du Saint-Esprit, nous prenons conscience de notre besoin, nous reconnaissons notre condition de pécheurs, nous nous repentons de nos transgressions et nous exprimons notre foi en Jésus, comme Seigneur et Sauveur, Substitut et Exemple. Cette foi par laquelle nous recevons le salut provient du pouvoir divin de la Parole ; c'est un don de la grâce de Dieu. Par le Christ, nous sommes justifiés, adoptés comme fils et filles, et délivrés de la férule du péché. Par l'Esprit, nous naissons de nouveau et sommes sanctifiés ; l'Esprit régénère nos esprits, grave la loi d'amour dans nos coeurs, et nous recevons la puissance nécessaire pour vivre une vie sainte. En demeurant en lui, nous devenons participants de la nature divine, nous avons l'assurance du salut, maintenant et au jour du jugement." (Ps 27, 1 ; Es 12, 2 ; Jon 2, 10 ; Jean 3, 16 ; 2 Cor 5, 17-21 ; Gal 1, 4 ; 2, 19,20 ; 3, 13 ; 4, 4-7 ; Rom 3, 24-26 ; 4, 25 ; 5, 6-10 ; 8, 1.14.15.26.27 ; 10, 7 ; 1 Cor 2, 5 ; 15, 3-4 ; 1 Jean 1, 9 ; 2, 1-2 ; Eph 2, 5-10 ; 3, 16-19 ; Gal 3, 26 ; Jean 3, 3-8 ; Matt 18, 3 ; 1 Pierre 1, 23 ; 2, 21 ; Héb 8, 7-12).

La justification par la foi et par la foi seule en Jésus-Christ occupe une place grandissante dans la prédication adventiste. C'est là, nous semble-t-il, un juste retour de la prédication missionnaire parmi les païens. Elle conduit à atténuer les particularités historiques du mouvement en faveur du mystère du salut. On peut y voir encore une tentative des Adventistes de repousser toute accusation de légalisme contre laquelle ils se sont toujours défendus.

Interpellé par l'Esprit, l'homme est appelé à changer le cours de son existence. Le caractère légal de la justification n'épuise pas l'oeuvre salvifique du Christ. L'homme, rendu participant de la nature divine par l'action du Saint-Esprit en lui, est appelé à vivre conformément à sa condition nouvelle. Le croyant participe à l'oeuvre de transformation qui s'opère en lui en exerçant sa liberté retrouvée en Christ.

L'ÉGLISE

"L'Église est la communauté des croyants qui confessent Jésus-Christ comme Seigneur et Sauveur. A l'instar du peuple de Dieu de l'ancienne alliance, nous sommes appelés à sortir du monde ; nous nous assemblons pour adorer, pour fraterniser, pour nous instruire dans la Parole de Dieu, célébrer la sainte Cène, venir en aide à nos semblables et proclamer l'Évangile au monde entier. L'autorité de l'Église émane du Christ, qui est la Parole incarnée, et de la Bible, qui est la Parole écrite. L'Église est la famille de Dieu ; adoptés par le Seigneur comme ses enfants, ses membres vivent selon les statuts de la nouvelle alliance. L'Église est le corps du Christ, une communauté de foi dont il est lui-même la tête. L'Église est l'épouse pour laquelle le Christ est mort afin de la sanctifier et de la purifier. A son retour triomphal, il la fera paraître devant lui comme une Église glorieuse, fidèle à travers les âges, rachetée par son sang, sans tache, ni ride, mais sainte et irrépréhensible." (Gen 12, 3 ; Act 7, 38 ; Matt 21, 43 ; 16, 13-20 ; Jean 20, 21-22 ; Act 1, 8 ; Rom 8, 15-17 ; 1 Cor 12, 13-27 ; Eph 1, 15-23 ; 2, 12 ; 3, 8-11,15 ; 4, 11-15).

Regroupés en petites communautés, les Adventistes ont organisé leur culte autour de trois thèmes : adoration, étude de la Bible et mission. Au travers de ces thèmes s'élabore leur conception de l'Église et de sa mission dans le monde.

Ainsi, seuls sont considérés comme Adventistes et appelés 'frères' ou 'soeurs', les croyants baptisés à la suite de leur confession de foi. Sont mis sous censure ou exclus de la communion de l'Église, ceux dont l'inconduite ou l'incroyance s'oppose à une authentique adoration.

L'étude régulière et systématique fait partie intégrante du culte, car l'Église a la vocation d'instruire et d'édifier les membres du corps. Chaque croyant participe à cette étude et les enfants y sont associés dès leur plus jeune âge. La prédication occupe une place centrale dans la liturgie.

Enfin, la vie de l'Église se déploie constamment sur un thème missionnaire. Chacun est appelé à 'témoigner' de sa foi et à soutenir l'expansion mondiale de l'Église.

A cause de son caractère missionnaire, l'Église adventiste est jalouse de son indépendance. Proclamant la séparation de l'Église et de l'État, les Adventistes sont respectueux des lois civiles, accomplissent leur service militaire dans les unités non armées, mais rejettent toute allégeance ou dépendance financière vis-à-vis de l'État, qui pourrait à plus ou moins long terme, porter ombrage à leur zèle expansionniste.

Leur caractère prophétique et leur stricte observance du sabbat (samedi), font des Adventistes d'ardents défenseurs de la liberté religieuse. Dans de nombreux pays, ils ont été à l'origine de lois allégeant ou abolissant des discriminations religieuses.

L'ÉGLISE FINALE ET SA MISSION

"L'Église universelle englobe tous ceux qui croient vraiment en Christ. Mais, dans les derniers jours, en un temps d'apostasie généralisée, un reste a été suscité pour garder les commandements de Dieu et la foi en Jésus. Ce 'reste' proclame que l'heure du jugement est venue, prêche le salut par le Christ et annonce la proximité de sa venue. Cette proclamation est symbolisée par les trois anges d'Apoc 14 ; elle coïncide avec l'oeuvre de repentance et de réforme sur la terre. Tout croyant est appelé à participer personnellement à ce témoignage de portée mondiale." (Marc 16, 15 ; Matt 28, 18-20 ; 24, 14 ; 2 Cor 5, 10 ; Apoc 12, 17 ; 14, 6-12 ; 18, 1-4 ; Eph 5, 22-27 ; Apoc 21, 1-14).

Les Adventistes ont la prétention énorme de constituer ce qu'ils appellent 'l'Église du reste'. A toutes les époques de l'histoire, disent-ils, Dieu a pu se préserver un peuple qui lui est demeuré fidèle. Aujourd'hui, Dieu veut se rallier à nouveau un reste de croyants fidèles à sa Parole et porteurs de son dernier message d'avertissement au monde : les Adventistes du septième jour. Se reconnaissant dans les textes d'*Apocalypse* 12, 17 ; 14, 12, ils prétendent garder les commandements de Dieu au milieu d'un monde contestataire, et la foi de Jésus face à l'incrédulité galopante. On peut s'irriter devant de telles déclarations et dénoncer un orgueil sans limite. On peut aussi y voir les traits habituels de tout mouvement prophétique.

Loin, cependant, de donner à sa perception d'elle-même un caractère sectaire, l'Église adventiste reconnaît l'existence d'authentiques croyants dans toutes les dénominations chrétiennes.

L'UNITÉ DANS LE CORPS DU CHRIST

"L'Église est un corps composé de nombreux membres, issus de toute nation, de toute ethnie, de toute langue et de tout peuple. En Christ, nous sommes une nouvelle création ; les distinctions de race, de culture, d'instruction, de nationalité, les différences de niveau social ou de sexe ne doivent pas être une cause de division parmi nous. Nous sommes tous égaux en Christ, qui par son Esprit, nous a réunis dans une même communion avec lui et entre nous ; aussi devons-nous servir et être servis sans parti pris ni arrière-pensée. Grâce à la révélation de Jésus-Christ dans les Écritures, nous partageons la même foi et la même espérance en vue de rendre un témoignage unanime devant tous les hommes. Cette unité trouve sa source dans l'unité du Dieu trinitaire qui nous a adoptés comme ses enfants." (Ps 133, 1 ; 1 Cor 12, 12-14 ; Act 17, 26.27 ; 2 Cor 5, 16-17 ; Gal 3, 27-29 ; Col 3, 10-15 ; Eph 4, 1-6 ; Jean 17, 20-23 ; Jac 2, 2-9 ; 1 Jean 5, 1).

L'organisation internationale de l'Église donne aisément à un Adventiste le sentiment d'appartenance à une entité universelle. Où qu'il aille dans le monde, le même sujet est étudié dans le cadre de l'"école du sabbat". Un 'rapport missionnaire' lui rend compte chaque semaine de ce que Dieu accomplit dans et par son Église dans diverses parties du monde. Il participe aussi financièrement, de semaines en semaines, à un projet d'implantation dans un coin de la planète. Son Église ou son école peut, elle-même, bénéficier occasionnellement de cette aide venant de toutes les Églises adventistes du monde.

Dans l'Église locale et à quelque niveau que ce soit de l'organisation, tous peuvent avoir accès à des postes de responsabilité par le jeu de l'élection démocratique. La chaire est ouverte aux femmes, même si l'Église n'est pas unanime pour consacrer les femmes au ministère pastoral. Dans certains pays, des femmes ont charge d'Église.

L'unité du corps du Christ est particulièrement ressentie dans la cérémonie de sainte Cène.

LE BAPTÊME

"Par le baptême, nous confessons notre foi en la mort et la résurrection de Jésus-Christ, et nous témoignons de notre mort au péché et de notre décision de mener une vie nouvelle. Ainsi, reconnaissant le Christ comme Seigneur et Sauveur, nous devenons son peuple et sommes reçus comme membres par son Église. Le baptême est un symbole de notre union avec le Christ, du pardon de nos péchés et de la réception du Saint-Esprit. Il se célèbre par une immersion dans l'eau et implique une profession de foi en Jésus et des preuves de repentance. Il est précédé par une instruction fondée sur l'Écriture sainte et par une acceptation des enseignements qu'elle contient." (Matt 3, 13-16 ; 28, 19-20 ; Act 2, 38 ; 16, 30-33 ; 22, 16 ; Rom 6, 1-6 ; Gal 3, 27 ; 1 Cor 12, 13 ; Col 2, 12-13 ; 1 Pierre 3, 21).

Les Adventistes administrent le baptême par immersion. Cet acte nécessite la foi de la part du candidat. C'est pourquoi les Adventistes rejettent le baptême des petits enfants. Les jeunes gens peuvent être baptisés s'ils sont jugés suffisamment mûrs pour comprendre la signification de la décision qu'ils prennent. Ce jugement est exercé par la communauté. Le néophyte est totalement immergé une seule fois après qu'il ait entendu prononcée, par le pasteur ou l'ancien, la formule trinitaire. Le baptême est pratiqué soit en plein air ou, le plus souvent, dans un baptistère aménagé dans l'église. Les enfants d'Adventistes ne sont inscrits dans les registres de l'Église qu'après leur baptême.

LA SAINTE CÈNE

"La sainte Cène est la participation aux emblèmes du corps et du sang de Jésus ; elle exprime notre foi en lui, notre Seigneur et Sauveur. Lors de cette expérience de communion, le Christ est présent pour rencontrer son peuple et le fortifier. En y prenant part joyeusement, nous annonçons la mort du Seigneur, jusqu'à ce qu'il vienne. La préparation au service de communion implique examen de conscience, repentance et confession. Le Maître a prescrit l'ablution des pieds pour symboliser une purification renouvelée, exprimer une disposition au service mutuel dans une humilité semblable à celle du Christ, et unir nos coeurs dans l'amour. Le service de communion est ouvert à tous les Chrétiens." (Matt 26, 17-30 ; 1 Cor 11, 23-30 ; 10, 16-17 ; Jean 6, 48-63 ; Apoc 3, 20 ; Jean 13, 1-17).

Pour les Adventistes, la sainte Cène est à la fois une commémoration de la mort de Jésus, une actualisation de la rencontre ineffable de Jésus avec les siens, et une anticipation du repas des noces de l'agneau.

La participation à la Cène doit être prise sérieusement, dans un esprit de repentance et de foi. Elle est précédée par le lavement des pieds. Au cours de cette cérémonie, les femmes d'un côté, les hommes de l'autre, se lavent les pieds mutuellement, deux à deux, dans un esprit de réconciliation et d'humilité.

Tous réunis, ils partagent ensuite le pain sans levain et le jus de raisin non fermenté, emblèmes du corps du Christ et de son sang répandu. Chacun exprime ainsi sa foi en son Sauveur qui est allé jusqu'à identifier sa vie à la sienne. Ce service est célébré en moyenne quatre fois par an. Un service empreint de solennité et de joie profonde.

Les Adventistes ne pratiquent que les seules ordonnances établies par Jésus, c'est-à-dire le baptême et la Sainte Cène. Ils rejettent les cinq sacrements attribués aussi au Christ par le concile de Trente : confirmation, pénitence, ordre, mariage, extrême-onction.

DONS SPIRITUELS ET MINISTÈRES

"A toutes les époques, Dieu pourvoit tous les membres de son Église de dons spirituels que chacun d'eux doit employer afin d'exercer un service d'amour pour le bien commun de l'Église et de l'humanité. Accordés par l'intermédiaire du Saint-Esprit, qui les distribue à chacun en particulier comme il veut, les dons mettent à la disposition de l'Église toutes les compétences et les ministères nécessaires à l'accomplissement de sa mission divine. D'après les Écritures, ces dons peuvent s'exercer dans le domaine de la foi, de la guérison, de la prophétie, de la prédication, de l'enseignement, de l'administration, de la réconciliation, de la compassion et du service d'amour désintéressé pour le soutien et l'encouragement d'autrui. Certains sont appelés par Dieu et qualifiés par le Saint-Esprit pour remplir des fonctions reconnues par l'Église : pastorat, évangélisation, apostolat et enseignement, ministères particulièrement nécessaires pour former les membres en vue du service, pour développer la maturité spirituelle de l'Église et maintenir l'unité de la foi et de la connaissance de Dieu. Lorsque les membres emploient ces dons spirituels comme de fidèles économes des divers bienfaits de Dieu, l'Église est préservée de l'influence délétère des fausses doctrines ; elle se développe conformément à la volonté divine et s'édifie dans la foi et dans l'amour." (Rom 12, 4-8 ; 1 Cor 12, 7-11.27.28 ; Eph 4, 8,11-16 ; 2 Cor 5, 14-21 ; Act 6, 1-7 ; 1 Tim 2, 1-3 ; 1 Pi 4, 10-11 ; Col 2, 19 ; Matt 25, 31-36).

Confrontée depuis une vingtaine d'années au renouveau pentecôtiste, l'Église adventiste s'est mise à promouvoir en son sein une réflexion sur les dons charismatiques. Chaque croyant est invité à mettre en valeur les dons spirituels dont Dieu l'a pourvu à son baptême. Cette recherche est faite avec prudence. Il est rappelé que l'Esprit seul décide des dons qu'il accorde, et que tous ne peuvent se voir attribuer le même don. L'Esprit n'opère pas d'une manière magique et irrésistible, en réduisant l'homme à un automate. Il ne fait rien que l'homme n'ait décidé de faire, car toute action de l'Esprit fait appel à la collaboration de l'homme. La glossolalie est regardée en conséquence avec suspicion, et le don des miracles est davantage compris comme effet de la prière que comme exercice d'un pouvoir surnaturel.

LE DON DE PROPHÉTIE

"La prophétie fait partie des dons du Saint-Esprit. Ce don est l'une des marques distinctives de l'Église du reste et s'est manifesté dans le ministère d'Ellen G. White. Les écrits de cette messagère du Seigneur sont une source constante de vérité qui fait autorité et procure à l'Église encouragements, directives, instructions et répréhension. Ils stipulent que la Bible est le critère auquel il convient de soumettre tout enseignement et toute expérience." (Joël 2, 28-29 ; Act 2, 14-21 ; Héb 1, 1-3 ; Apoc 12, 17 ; 19, 10).

"En harmonie avec la position historique du protestantisme, les Adventistes du septième jour acceptent la Bible et la Bible seule comme l'unique règle de foi et de conduite ; ils croient qu'elle est dans sa totalité la Parole de Dieu écrite en langage humain, véritable, digne de confiance et faisant autorité... Les Adventistes du septième jour considèrent le don de prophétie comme étant indépendant du canon des Écritures, puisqu'il s'est manifesté avant, pendant et après la formation dudit canon. Mais ils affirment que les Écrits canoniques constituent le critère par lequel tous les autres messages prophétiques doivent être jugés. Ils croient que ce charisme n'a jamais totalement disparu, mais qu'il s'est manifesté de temps à autre au cours de l'histoire, et qu'il est accordé aujourd'hui à l'Église. Le canon des Écritures est le message adressé à tous les hommes de tous les temps ; les révélations extracanoniques appartiennent à ceux auxquels elles ont été primitivement adressées. Les Adventistes du septième jour croient que les écrits d'Ellen White repésentent l'oeuvre du don de prophétie, mais sans qu'il soit question de les considérer comme un substitut de la Bible ou un ajout au texte sacré." (D.H. Neufeld éd., *Seventh-day Adventists Encyclopedia*, 1413).

LA LOI DE DIEU

"Les grands principes de la loi de Dieu sont contenus dans les dix commandements et manifestés dans la vie du Christ. Ils expriment l'amour, la volonté et les desseins de Dieu concernant la conduite et les relations humaines et sont impératifs pour tous les hommes de tous les temps. Ces préceptes constituent le fondement de l'alliance conclue par Dieu avec son peuple et la norme de son jugement. Agissant par le Saint-Esprit, la loi démasque le péché et fait éprouver le besoin d'un Sauveur. Le salut procède entièrement de la grâce et non des oeuvres, mais ses fruits se traduisent par l'obéissance aux commandements de Dieu. Celle-ci favorise le développement d'une personnalité chrétienne et produit un sentiment de bien-être. C'est une manifestation de notre amour pour le Seigneur et de notre intérêt pour nos semblables. L'obéissance qui vient de la foi révèle la puissance du Christ, qui transforme les vies et renforce ainsi le témoignage du Chrétien." (Ex 20, 1-17 ; Matt 5, 17 ; Deut 28, 1-14 ; Ps 19, 8-14 ; Jean 14, 15 ; Rom 8, 1-4 ; 1 Jean 5, 3 ; Matt 22, 36-40 ; Eph 2, 8).

Les Adventistes ont toujours prôné le loyalisme à l'égard des commandements de Dieu. Accusés de légalisme, ils se défendent de vouloir faire des oeuvres la source du salut. Cependant, ils rappellent qu'il n'y a pas de foi sans éthique, et que l'éthique chrétienne ne peut que reconnaître au Décalogue toute sa validité. Le dépassement de la lettre de la loi par l'esprit réduit les commandements du Décalogue à un minimum qu'on ne saurait ignorer sans contradiction.

Notre liberté de créature est conditionnée par la souveraineté de Dieu. L'homme n'est libre que dans la mesure où il choisit le bien. Tout autre usage de sa liberté consisterait à pécher, à s'aliéner, à se séparer de Dieu. Or la loi morale exprimée par le Décalogue constitue la révélation immuable de la volonté divine. Pratiquée dans la liberté de l'Esprit, et dans l'amour, elle est une source de bénédiction pour tous les peuples.

Jésus ne s'est pas opposé à la loi morale, mais à ses interprétations étroites. Il n'a pas non plus offert une grâce à bon marché, car le prix payé à la croix condamne toute désobéissance. En somme, pour un Adventiste, comme pour de nombreux croyants, "l'amour de Dieu consiste à garder ses commandements" (1 Jean 5, 1-3).

LE SABBAT

"Au terme des six jours de la création, l'Auteur de tout bien s'est reposé le septième jour et a institué le sabbat comme mémorial de la création pour toute l'humanité. Le quatrième commandement de la loi divine et immuable requiert l'observation de ce septième jour de la semaine comme jour de repos, de culte et de service, en harmonie avec les enseignements et l'exemple de Jésus, le Seigneur du sabbat. Le sabbat est un jour de communion joyeuse avec Dieu et entre nous. Il est un symbole de notre rédemption en Christ, un signe de notre sanctification, un témoignage de notre fidélité et un avant-goût de notre vie future dans le royaume de Dieu. Le sabbat est le signe permanent de l'alliance éternelle de Dieu avec son peuple. L'observation joyeuse de ce temps sacré d'un soir à l'autre, d'un coucher du soleil à l'autre, est une célébration des oeuvres créatrices et rédemptrices de Dieu." (Gen 2, 1-3 ; Ex 20, 8-11 ; 31, 12-17 ; Luc 4, 16 ; Héb 4, 1-11 ; Deut 5, 12-15 ; Es 56, 5.6 ; 58, 13.14 ; Lév 23, 32 ; Marc 2, 27.28).

Depuis Melanchton, une distinction a été faite, dans le protestantisme, entre le Décalogue, dont la validité demeure permanente, et les lois cérémonielles, qui ont été abrogées.

Les Adventistes insistent sur le fait que le sabbat, quatrième commandement du Décalogue, n'appartient pas aux lois cérémonielles, mais constitue un test de loyauté à l'égard de Dieu. Ils soulignent qu'à l'époque constantinienne, le dimanche a été élevé au rang de jour de repos officiel. Le dimanche est devenu ainsi la marque de la liaison de l'Église avec le monde. Toute tentative d'hégémonie mondiale unissant l'Église et l'État est, à leurs yeux, expression de l'Antéchrist.

Conscients qu'ils vivent aux temps de la fin, et que les puissances maléfiques feront tout pour conduire les Églises chrétiennes à l'apostasie, ils annoncent que le dimanche deviendra la marque distinctive de la collaboration entre l'Église et l'Antéchrist. Ainsi, leur refus de reconnaître le dimanche tient plus à son caractère eschatologique qu'à son caractère légal. L'Église adventiste reconnaît qu'il y a d'authentiques Chrétiens dans toutes les communautés, mais au temps de la fin, la question de l'observation du sabbat, c'est-à-dire de la loyauté au Dieu de la Révélation, permettra de distinguer le bon grain de l'ivraie, même en son propre sein.

ÉCONOMAT CHRÉTIEN

"Nous sommes les économes de Dieu, le Seigneur nous ayant confié du temps, des occasions, des aptitudes, des possessions, les biens de la terre et les ressources du sol. Nous sommes responsables devant lui de leur bon usage. Nous reconnaissons ses droits de propriété en le servant fidèlement, ainsi que nos semblables, en lui rendant les dîmes et en lui apportant des offrandes pour la proclamation de l'Évangile, le soutien et le développement de son Église. L'économat chrétien est un privilège que Dieu nous accorde afin de nous faire grandir dans l'amour et de nous aider à vaincre l'égoïsme et la convoitise. Le bon économe se réjouit des bénédictions dont jouissent ses semblables comme fruit de sa fidèle gestion." (Gen 1, 26-28 ; 2, 15 ; Ag 1, 3-11 ; Mal 3, 8-12 ; Matt 23, 23 ; 1 Cor 9, 9-14).

Aucun Adventiste n'est tenu de verser le dixième de ses revenus à son Église. Aux yeux de l'Adventiste pratiquant, il est seulement privé, en cas de manquement, des bénédictions dont Dieu voulait le combler.

En effet, la pratique du versement de la dîme et des offrandes relève de la foi, et repose sur la promesse faite par Dieu, par le moyen du prophète Malachie (3, 8-12). La dîme revient de droit à Dieu. L'Adventiste 'rend' la dîme à Dieu, reconnaissant par là qu'il lui doit tout ce qu'il possède. Cet argent sera uniquement employé à la proclamation de l'Évangile.

Si les Israélites exprimaient leur fidélité à Yahvé par le versement de la dîme, les Chrétiens ne peuvent faire moins en reconnaissance pour le salut gratuit en Jésus-Christ. C'est pourquoi, en plus de la dîme, les Adventistes offrent généreusement l'équivalent d'une demi dîme ou davantage. En France, un Adventiste donne en moyenne 4.069 FF par an à son Église. En Belgique, 23.670 FB ; en Suisse 2.368 FS ; en Allemagne 1.794 DM.

Leur rapide expansion s'explique en partie par leur générosité. Les Adventistes regrettent que ce principe ait été généralement abandonné, et ait conduit les Églises à avoir recours aux tombolas, ventes de charités et loteries diverses.

ÉTHIQUE CHRÉTIENNE

"Nous sommes appelés à être un peuple saint dont les pensées, les sentiments et le comportement sont en harmonie avec les principes du ciel. Pour permettre à l'Esprit de reproduire en nous le caractère de notre Seigneur, nous ne suivons, à l'exemple du Christ, que des lignes d'action propres à favoriser la pureté, la santé et la joie dans nos vies. Ainsi, nos loisirs doivent satisfaire aux normes les plus élevées du goût et de la beauté chrétienne. Tout en tenant compte des différences culturelles, nous porterons des vêtements sobres, simples et de bon goût, adaptés à ceux dont la vraie beauté ne réside pas dans les ornements extérieurs, mais dans le charme impérisssable d'un esprit doux et paisible. Par ailleurs, notre corps étant le temple du Saint-Esprit, nous devons en prendre soin intelligemment. En plus d'un exercice physique et d'un repos adéquats, nous devons adopter le régime alimentaire le plus sain possible et nous abstenir des aliments malsains mentionnés comme tels dans les Écritures. Les boissons alcoolisées, le tabac et l'usage des drogues et des narcotiques étant préjudiciables à notre corps, nous devons également nous en abstenir. En revanche, nous userons de tout ce qui est de nature à soumettre nos corps et nos pensées à l'autorité du Christ, qui désire nous voir en bonne santé, heureux et épanouis." (1 Jean 2, 6 ; Eph 5, 1-13 ; Rom 12, 1.2 ; 1 Cor 6, 19.20 ; 10, 31 ; 1 Tim 2, 9.10 ; Lév 11, 1-47 ; 2 Cor 7, 1 ; 1 Pierre 3, 1-4 ; 2 Cor 10, 5 ; Phil 4, 8).

L'Évangile ne peut se réduire à un corps de doctrines. Il concerne tous les aspects de l'existence humaine. C'est pourquoi les Adventistes ont développé un programme de santé physique, mentale et spirituelle, dont les effets sont aujourd'hui médicalement reconnus.

Les Adventistes sont bien connus pour leurs prises de position radicales vis-à-vis de l'alcool, du tabac et des drogues en général. Non seulement, ils recommandent à leurs adhérents un régime alimentaire végétarien, ou pour le moins l'abstinence des viandes à risques (cheval, porc, viandes grasses, boudins, charcuterie, crustacés, etc.), mais ils s'efforcent encore de promouvoir une bonne hygiène de vie, le bon goût et la modestie, la qualité de la vie, l'esprit critique dans le choix des lectures, des spectacles, de la musique.

Certes, à une époque où il est interdit d'interdire, le discours adventiste est souvent pris dans les milieux chrétiens pour légaliste. Nul, pourtant, ne songe gagner le ciel par une telle discipline. L'Adventiste se sent conséquent avec sa foi en son Sauveur, Jésus-Christ, qui le délivre, non seulement de ses péchés, mais encore de ses maladies, qui lui donne, non seulement l'assurance de son salut, mais encore les moyens de vivre ici-bas dans l'harmonie.

D'où l'immense programme d'éducation et de santé entrepris par l'Église adventiste. Un programme prophétique qui invite l'Église à ne pas se dissoudre dans les attraits de ce monde, mais à élever bien haut son idéal, anticipation du bonheur à venir.

Refusant de se conformer au siècle présent, les Adventistes veulent s'efforcer de vivre selon la recommandation de l'apôtre Paul : "Soit que vous mangiez, soit que vous buviez, soit que vous fassiez quelque autre chose, faites tout pour la gloire de Dieu" (1 Cor. 10, 31). Un programme de vie dont ils se sentent les premiers bénéficiaires.

LE MARIAGE ET LA FAMILLE

"Le mariage a été institué par Dieu en Éden. Jésus a déclaré qu'il s'agit d'une union à vie entre un homme et une femme, union caractérisée par un climat d'amour. Aux yeux du Chrétien, les vœux du mariage l'engagent aussi bien vis-à-vis de Dieu que vis-à-vis de son conjoint, et ne devraient être échangés qu'entre des personnes qui partagent la même foi. L'amour, l'estime, la responsabilité et le respect mutuels constituent la trame des liens conjugaux qui ont à refléter l'amour, la sainteté, l'intimité et la permanence des liens unissant le Christ et son Église. Concernant le divorce, Jésus a enseigné que la personne qui – sauf pour impudicité – se sépare de son conjoint et en épouse une autre commet l'adultère. Bien que certaines relations familiales puissent ne pas atteindre l'idéal, les époux qui se dévouent l'un à l'autre en Christ peuvent néanmoins réaliser leur unité d'amour grâce à la direction du Saint-Esprit et au ministère de l'Église. Dieu bénit la famille et désire que ses membres se prêtent mutuellement assistance en vue d'atteindre une pleine maturité. Les parents doivent élever leurs enfants de manière qu'ils aiment le Seigneur et lui obéissent. Par la parole et par l'exemple, ils leur enseigneront que le Christ est un Maître aimant, bienveillant et attentif à nos besoins, qui souhaite les voir devenir membres de son corps et appartenir à la famille de Dieu. Le resserrement des liens familiaux est l'un des signes distinctifs du dernier message évangélique." (Gen 2, 18-25 ; Deut 6, 5-9 ; Jean 2, 1-11 ; Eph 5, 21-33 ; Matt 5, 31.32 ; 19, 3-9 ; Prov 22, 6 ; Eph 6, 1-4 ; Mal 4, 5-6 ; Marc 10, 11.12 ; Luc 16, 18 ; 1 Cor 7, 10-11).

Le christianisme a aussi des applications sociales. Il pénètre la sphère familiale où se forge bien souvent la destinée humaine. Les Adventistes défendent avec ferveur l'institution du mariage. Ils condamnent les formes nouvelles de cohabitation, les relations sexuelles hors mariage (Héb 13, 4), le divorce. Si un divorce est prononcé pour une autre raison que l'infidélité, les deux parties ne peuvent contracter un autre mariage sans subir la sanction de l'Église.

Pour soutenir les foyers dans leur tâche, les forces vives de l'Église sont engagées pour leur majeure part dans l'éducation des enfants et l'animation de la jeunesse. Plus de 60 % des membres de l'Église adventiste ont moins de 30 ans. Par l'"école du sabbat" les sociétés de jeunesse, les ensembles scolaires, les sociétés de parents, une philosophie de l'éducation des enfants est développée sur la base du grand principe énoncé par E.G. White : "La véritable éducation est plus que la poursuite d'un certain programme d'études. Elle est plus qu'une préparation à la vie présente, elle s'adresse à l'être tout entier et couvre toute son existence. Elle est le développement harmonieux des énergies physiques, mentales et spirituelles, et prépare l'étudiant à la joie du service ici-bas, ainsi qu'à celle bien supérieure d'un service plus étendu dans le monde à venir." *Education*, 1903, 7.

LE MINISTÈRE DU CHRIST
DANS LE SANCTUAIRE CÉLESTE

"Il y a dans le ciel un sanctuaire, le véritable, dressé par le Seigneur et non par un homme. Dans ce sanctuaire, le Christ accomplit un ministère en notre faveur, mettant ainsi à la disposition des croyants les bienfaits découlant de son sacrifice rédempteur offert une fois pour toutes sur la croix. Lors de son ascension, il fut intronisé comme souverain sacrificateur et commença son ministère d'intercession. En 1844, au terme de la période prophétique des 2.300 jours, il entra dans la seconde et dernière phase de son ministère de réconciliation. Celle-ci consiste en une instruction du jugement, qui prépare l'élimination définitive du péché ; cette oeuvre était symbolisée par la purification de l'ancien sanctuaire hébreu le jour des Expiations. Au cours de cette cérémonie symbolique, le sanctuaire était purifié avec le sang d'animaux sacrifiés, tandis que les réalités célestes sont purifiées par le sacrifice parfait du sang de Jésus. L'instruction du jugement révèle aux intelligences célestes quels sont parmi les morts ceux qui dorment en Christ, et qui par conséquent sont jugés dignes en lui de participer à la première résurrection. Cette instruction du jugement fait aussi apparaître ceux qui, parmi les vivants, demeurent en Christ, gardant les commandements de

Dieu et la foi en Jésus, prêts par là même et en lui à être transmués et introduits dans son royaume éternel. Ce jugement réhabilite la justice de Dieu en sauvant ceux qui croient en Jésus. Il proclame que ceux qui sont restés fidèles recevront le royaume. L'achèvement de ce ministère du Christ marquera l'expiration du temps de grâce pour l'humanité, avant sa seconde venue." (Héb 1, 3 ; 8, 1-5 ; 9, 11-28 ; Dan 7, 9-27 ; 8, 13.14 ; 9, 24-27 ; Nb 14, 34 ; Ez 4, 6 ; Mal 3, 1 ; Lév 16 ; Apoc 14, 12 ; 20, 12 ; 22, 12).

Il est difficile de comprendre la doctrine adventiste du sanctuaire céleste, sans prendre en compte la perspective historique et cosmique dans laquelle elle s'insère.

Le problème du mal n'est pas seulement relatif à la terre, mais il concerne l'univers entier et toutes les créatures célestes. Le culte ancien, "image et ombre des choses célestes" (Héb 8, 5) illustre ce drame universel en nous orientant vers le jour du jugement, appelé aussi Yom Kippour, jour du pardon.

D'autre part, la résurrection des justes et l'enlèvement de tous les croyants au retour de Jésus (1 Thess 4, 16-17) implique un jugement préalable. Ce jugement est entré dans sa phase finale en 1844, selon les termes de la prophétie du prophète Daniel.

La doctrine du jugement dernier, malgré les nombreux abus dont elle a fait l'objet, reste une des grandes données de la Révélation. La pensée juive dans laquelle elle s'enracine, confie au juge le soin de défendre le faible et l'opprimé face à ses accusateurs. C'est avec cette vision du Père "qui était en Christ, réconciliant le monde avec lui-même" (2 Cor 5, 19) que les Adventistes annoncent le jugement divin, invitant chacun à recevoir la grâce qui leur est offerte gratuitement.

LE RETOUR DU CHRIST

"La seconde venue du Christ est la bienheureuse espérance de l'Église, le point culminant de l'Évangile. L'avènement du Sauveur sera littéral, personnel, visible et de portée mondiale. Lors de son retour, les justes morts ressusciteront ; avec les justes vivants, ils seront glorifiés et enlevés au ciel, tandis que les réprouvés mourront. L'accomplissement presque complet de la plupart des prophéties et les conditions actuelles qui règnent dans le monde indiquent que la venue du Christ est imminente. Le jour et l'heure de cet événement n'ont pas été révélés, c'est pourquoi nous sommes exhortés à nous tenir prêts à tout moment." (Tite 2, 13 ; Jean 14, 1-3, Act 1, 9-11 ; 1 Th 4, 16,17 ; 1 Cor 15, 51-54 ; 2 Th 2, 8 ; Matt 24 ; Marc 13 ; Luc 21 ; 2 Tim 3, 1-5 ; Joël 3, 9-16 ; Héb 9, 28).

Pour l'Adventiste, nul ne sait le jour et l'heure de la Parousie, mais la flamme qui portait l'Église primitive lorsqu'elle proclamait : "Maranatha, le Seigneur vient", ne peut s'éteindre. L'attente eschatologique appartient à l'essence même du christianisme. Elle ne se limite pas à une rencontre ici et maintenant entre le croyant et son Seigneur, mais elle porte vers l'avenir où toutes choses seront renouvelées.

Tel Jean-Baptiste à la veille de la première manifestation du Christ, l'Adventiste, tenaillé par le sentiment de l'urgence, appelle à la repentance, tout en annonçant la réalisation prochaine de toutes les promesses. Jésus revient bientôt. Ce thème prophétique a traversé toute l'histoire du christianisme, et il est repris aujourd'hui par de nombreuses communautés évangéliques.

LA MORT ET LA RÉSURRECTION

"Le salaire du péché, c'est la mort. Mais Dieu, qui seul est immortel, accordera la vie éternelle à ses rachetés. En attendant, la mort est un état d'inconscience pour tous. Quand le Christ – qui est notre vie – paraîtra, les justes ressuscités et les justes encore vivants lors de sa venue seront glorifiés et enlevés pour rencontrer leur Seigneur. La deuxième résurrection, celle des réprouvés, aura lieu mille ans plus tard." (1 Tim 6, 15.16 ; Rom 6, 23 ; 1 Cor 15, 51-54 ; Eccl 9, 5,6 ; Ps 146, 4 ; 1 Th 4, 13-17 ; Rom 8, 35-39 ; Jean 28,29 ; Apoc 20, 1-10 ; Jean 5, 24).

Les Adventistes se distinguent de la majorité des Chrétiens en ce qui concerne leur conception de l'état des morts et de la résurrection. Parce qu'ils croient à l'unité de la personne humaine, et à l'impossibilité d'une existence consciente indépendamment de la vie du corps, ils parlent de la résurrection de la personne. Rejetant tout dualisme, ils renouent avec la tradition biblique qui désigne par le mot 'âme' la personne elle-même et non un élément immortel qui aurait la faculté d'exister après la mort du corps.

Ainsi, ils rejettent les prières pour les morts, la doctrine de la réincarnation. La mort est comprise comme un état d'inconscience, de sommeil, dont on ne sort qu'à l'appel de Dieu lors de la venue du Christ en gloire.

LES MILLE ANS ET LA FIN DU PÉCHÉ

"Le millénium est le règne du Christ avec ses élus, dans le ciel, règne qui durera mille ans. Il se situe entre la première et la deuxième résurrection. Pendant cette période, les réprouvés morts seront jugés. La terre sera totalement déserte ; elle ne comptera pas un seul être humain vivant, mais sera occupée par Satan et ses anges. Lorsque les mille ans seront écoulés, le Christ, accompagné de ses élus, descendra du ciel sur la terre avec la sainte cité. Les réprouvés morts seront alors ressuscités, et, avec Satan et ses anges, ils investiront la cité ; mais un feu venant de Dieu les consumera et purifiera la terre. Ainsi, l'univers sera libéré à jamais du péché et des pécheurs." (Apoc 20 ; Zach 14, 1-4, Mal 4, 1 ; Jér 4, 23-26 ; 1 Cor 6 ; 2 Pi 2, 4 ; Ez 28, 18 ; 2 Th 1, 7-9 ; Apoc 19, 17.18.21).

Les millénarismes chrétiens se sont souvent perdus dans des rêves sociopolitiques, dont les visées terrestres ont conduit à marginaliser la place du millénium dans la théologie.

Les Adventistes voient dans le chapitre 20 de l'*Apocalypse* une démythologisation de l'apocalyptique juive, tout entière portée vers un règne terrestre du Messie. C'est pourquoi ils se distancent des dispensationalistes pour lesquels l'État d'Israël constitue un commencement de la réalisation de cette prophétie, et ne projettent pas, non plus, dans un millénium à venir la réalisation littérale et terrestre des promesses non réalisées de l'Ancien Testament.

Les Adventistes enseignent un règne céleste du Christ et des rachetés au cours duquel la culpabilité des réprouvés sera définitivement établie avant leur destruction finale. Ainsi doit s'achever l'éradication du doute émis, dès l'origine du mal, sur la bonté de Dieu et sa justice salvatrice.

LA NOUVELLE TERRE

"Sur la nouvelle terre où la justice habitera, Dieu offrira aux rachetés une résidence définitive et un cadre de vie idéal, pour une existence éternelle faite d'amour, de joie et de progrès en sa présence. Car Dieu habitera avec son peuple, et les souffrances et la mort auront disparu. La grande tragédie sera terminée et le péché ne sera plus. Tout ce qui existe dans le monde animé ou le monde inanimé proclamera que Dieu est amour ; et il règnera pour toujours. Amen."

(2 Pi 3, 13 ; Gen 17, 1-8 ; Es 35 ; 65, 17-25 ; Matt 5, 5 ; Apoc 21, 1-7 ; 22, 1-5 ; 11, 15).

A égale distance de l'ultra-spiritualisme des poètes et de l'ultra-matérialisme du Coran, la conception biblique du paradis situe l'homme régénéré dans un monde matériel exempt de souffrances et de mort, et souligne son bonheur spirituel dans une vie de sainteté en présence de Dieu.

La vie future s'exprime en termes de perfection physique, morale, et spirituelle, d'activité, de progrès et d'éternité.

SYNTHÈSE

L'enseignement doctrinal de l'Église adventiste s'inscrit bien dans la tradition chrétienne et plus particulièrement dans la tradition protestante.

Les Adventistes sont, en effet, en accord avec les articles fondamentaux de la foi chrétienne. Ils enseignent l'inspiration des Écritures, la trinité, l'oeuvre du Saint-Esprit, la naissance virginale du Christ, sa mort rédemptrice, sa résurrection corporelle et son ascension. Ils professent le retour littéral de Jésus en gloire, la résurrection et l'enlèvement des saints, le jugement dernier. A l'Église, corps de Christ, appartiennent les croyants de toute dénomination religieuse qui reçoivent Jésus pour leur Sauveur et Seigneur.

Ils croient en la double nature du Christ, pleinement homme et pleinement Dieu, ressuscité avec son corps glorifié. Le Christ élevé dans la gloire est le même que Jésus de Nazareth.

Les Adventistes possèdent aussi des affinités doctrinales avec la tradition religieuse protestante. Ils professent le principe protestant (*sola scriptura*, l'écriture seule), et la doctrine réformée de la justification par la foi (*sola fide, sola gratia per Christum*). Pour eux aussi, justification et sanctification sont inséparables en ce sens que les bonnes oeuvres sont l'expression sine qua non de la justification. Le débat théologique porte ici parfois sur le rapport mutuel de la justice imputée et de la justice impartie. Le salut est-il un acte purement juridique, ou implique-t-il une oeuvre existentielle de Dieu en nous ?

Les doctrines adventistes ne sont pas fondées sur l'autorité de l'Église, mais sur celle des Saintes Écritures. Ils admettent, cependant, qu'il y a progrès dans la compréhension des Écritures, et que la tradition historique vient apporter son éclairage à la lecture de la Bible. Mais ils insistent sur le caractère normatif des Écritures. On leur reproche parfois d'oublier la préconception inhérente à toute lecture biblique.

Pour les Adventistes, l'Ancien et le Nouveau Testaments sont unis en termes de types et d'antitypes, de promesses et de réalisation, d'image et de réalité. L'Ancien Testament peut être appelé Nouveau lorsqu'il est relu avec l'éclairage de Pâques.

Les Adventistes rejettent la doctrine de la double prédestination et soulignent le caractère conditionnel des promesses, la liberté de l'homme pouvant faire obstacle au plan de Dieu. Nul n'est prédestiné à la perdition. Dieu veut que tous les hommes soient sauvés, mais ne le seront que ceux qui l'auront reçu.

Ils croient en l'immortalité conditionnelle de l'homme et rejettent l'idée d'une âme immortelle séparée du corps. Il n'y a, pour eux, d'existence humaine que corporelle. Créature pécheresse, l'homme est soumis à la mort et reste dans la tombe jusqu'au jour de la résurrection. La vie éternelle n'est possible pour eux qu'en Christ. Les méchants sont voués au néant.

La loi morale, résumée dans le Décalogue, est immuable aux jeux des Adventistes. Ils sont, ici, en accord avec le protestantisme jusqu'à Melanchton. Ils sont en désaccord, par contre, avec ceux qui professent que la loi a été abrogée à la croix, y compris le Décalogue. Ils n'admettent l'abrogation que des lois civiles et cérémonielles. La loi du Décalogue n'a pas de validité en tant que moyen de salut. Cependant, pour eux, la désobéissance délibérée au Décalogue remet en question la validité de la foi et en conséquence le salut gratuit.

Suivant la tradition baptiste, les Adventistes baptisent les adultes seulement, la foi du candidat étant nécessaire à la validation d'un baptême. Ils rejettent le baptême des nouveaux-nés et la pratique de l'aspersion.

A la Sainte Cène, qu'ils célèbrent avec du pain sans levain et du jus de raisin non fermenté, ils associent la cérémonie du lavement des pieds.

Les règles d'abstinence, la dîme, les principes de l'Église, l'acceptation du ministère d'Ellen White au sein de l'Église adventiste, constituent des conditions d'entrée dans la communion de l'Église adventiste. Leur abandon, par contre, n'entraînent pas automatiquement une mesure d'exclusion.

Dans leur interprétation des prophéties bibliques, les Adventistes sont héritiers d'une longue tradition chrétienne, remise en cause par certains présupposés de l'approche historico-critique moderne. Pour eux, s'il faut se garder de lever le voile de l'avenir, la prophétie nous tient aux aguets dans la perspective de la parousie imminente du Christ. La foi chrétienne a toujours été avivée par la conscience de la proximité du retour du Christ. Une forte espérance adventiste est à leur yeux une marque essentielle de la foi chrétienne.

Les Adventistes croient aussi que la liberté religieuse est le mieux défendue dans le cadre de la séparation de l'Église et de l'État.

Leur observation du sabbat, ou samedi, septième jour de la semaine, comme jour de repos, tient non seulement aux exigences du Décalogue, mais encore à la fonction eschatologique de ce jour. Pour les Adventistes, le tournant constantinien établissant le dimanche comme jour officiel de repos dans l'État, a mis l'Église au service de Rome. L'Église est en danger de s'inféoder à l'État. Le dimanche est la marque par laquelle la liaison de l'Église au monde a été rendue légale. Ils sont d'avis que l'histoire de ce monde ira en s'aggravant et qu'une puissance anti-chrétienne s'efforcera de conduire les Églises à l'apostasie. Le dimanche deviendra alors la marque distinctive de la collaboration avec cette puissance mondiale. Les Adventistes cachés se révéleront dans toutes les Églises à l'ultime veille du retour du Christ et prendront position contre l'Antéchrist.

L'Église adventiste se veut, ainsi, un mouvement de réforme visant à préparer tous les croyants à affronter le drame final de l'histoire de ce monde et à se trouver prêts, au retour du Christ en gloire, à être enlevés à sa rencontre sur les nuées du ciel.

Anthologie

Compte tenu de la place occupée par Ellen G. White dans la pensée et la philosophie générale de l'Église adventiste du septième jour, il est impossible de connaître véritablement cette Église sans s'imprégner des écrits de celle que les Adventistes considèrent comme 'la messagère du Seigneur'.

Nous offrons ici au lecteur quelques extraits de son immense oeuvre littéraire. Leur choix ne s'est pas fait au hasard. Ils correspondent à des thèmes précis qui font des Adventistes ce qu'ils sont. Certains peuvent être considérés comme des classiques de l'Adventiste bien informé. La date de première parution des textes extraits de compilations est indiquée entre parenthèses. A ce florilège de l'œuvre, fondamentale, d'E.G. White, nous avons joint quelques autres textes adventistes caractéristiques.

E.G. WHITE

La Bible

La première déclaration de foi des Adventistes porte sur les saintes Écritures. Il va sans dire que toute approche de la Bible présuppose un concept de l'inspiration. E.G. White a joué, dans ce domaine, un rôle pilote en renvoyant sans cesse à la Bible comme critère de foi, en écartant toute bibliolâtrie et l'inspiration verbale.

Importance.

"C'est par la Parole que Dieu nous communique les connaissances nécessaires au salut. Nous devons l'accepter comme une révélation infaillible de sa volonté. Elle est la norme du caractère, le révélateur de la doctrine et la pierre de touche de l'expérience. "Toute Écriture est inspirée de Dieu, et utile pour enseigner, pour convaincre, pour corriger, pour instruire dans la justice, afin que l'homme de Dieu soit accompli et propre à toute bonne oeuvre." (2 Tim 3, 16-17). Mais le fait que la volonté de Dieu a été révélée à l'homme n'a pas rendu inutile la présence constante du Saint-Esprit. Au contraire, Jésus a promis d'envoyer le Saint-Esprit aux disciples pour leur faire comprendre sa Parole et pour graver ses enseignements dans leurs coeurs. Et comme le Saint-Esprit est l'inspirateur des Écritures, il est impossible qu'il y ait conflit entre lui et la Parole écrite.

Mais l'Esprit n'est pas donné, et il ne le sera jamais, pour remplacer les Écritures. Celles-ci déclarent positivement que la Parole est la pierre de touche de tout enseignement et de toute vie morale. Saint Jean a écrit : "N'ajoutez pas foi à tout esprit, mais éprouvez les esprits pour savoir s'ils sont de Dieu, car plusieurs faux prophètes sont venus dans le monde." (1 Jean 4, 1). Et le prophète Ésaïe : "A la loi et au témoignage ! Si l'on ne parle pas ainsi, il n'y aura pas d'aurore pour le peuple." (Is 8, 20)." *The Great Controversy*, 1888, vii.

"La Parole du Dieu vivant n'est pas tant écrite que parlée. La Bible, c'est la voix de Dieu qui nous parle, aussi sûrement que si nous l'entendions de nos oreilles. Si nous réalisions cela, avec quel respect ouvririons-nous la Parole de Dieu, et avec quel sérieux étudierions-nous ses préceptes ! La lecture et la contemplation des Écritures seraient considérées comme une audience avec l'Être infini." *6 Testimonies*, 1948, 393.

"Dans la Bible, la volonté de Dieu est révélée à ses enfants. Qu'elle soit lue dans le cercle familial, à l'école, ou dans l'église, tous devraient lui porter une attention paisible et appliquée comme si Dieu était réellement présent et leur parlait." *Steps to Christ*, 1892, 90.

Caractère pratique.

"Le Christ déclare : "La Bible est un guide sûr. Elle exige une pureté parfaite en parole, en pensée et en action. Seuls les caractères vertueux et immaculés seront autorisés à entrer dans la présence d'un Dieu pur et saint. L'étude obéissante de la Parole de Dieu conduira les enfants des hommes, comme les Israélites furent conduits par une colonne de feu la nuit et une colonne de nuée le jour. La Bible est la volonté de Dieu communiquée à l'homme. Elle est la seule mesure parfaite du caractère, et elle détermine les devoirs de l'homme dans chaque circonstance de la vie. De nombreuses responsabilités reposent sur nous dans cette vie ; les négliger ne nous cause pas seulement des souffrances à nous-mêmes, mais d'autres en subissent les conséquences néfastes.

Les hommes et les femmes professant respecter la Bible et suivre ses enseignements manquent dans bien des domaines à réaliser ses exigences. Dans l'éducation des enfants, ils suivent leur propre nature pervertie plutôt que la volonté révélée de Dieu. Cette négligence de leur devoir conduit à la perte de milliers d'âmes. La Bible a établi des principes pour une juste discipline des enfants. Si les parents y avaient pris garde, nous verrions aujourd'hui une classe différente de jeunes entrant dans la vie active" *4 Testimonies*, 1948, 312-313.

Inspiration.

"L'union du divin et de l'humain, manifestée en Christ, existe aussi dans la Bible. Les vérités révélées sont toutes "inspirées de Dieu" ; cependant, elles sont exprimées par des mots humains et adaptées aux besoins des hommes. Ainsi, on pourrait dire du livre de Dieu comme de Christ, que "la Parole a été faite chair, et elle a habité parmi nous". Ce fait, loin d'être un argument contre la Bible, devrait fortifier notre foi en elle comme la Parole de Dieu. Ceux qui se prononcent sur l'inspiration des Écritures, acceptant certaines parties comme divines et rejetant d'autres comme humaines, oublient le fait que Christ, le divin, a partagé notre nature humaine pour atteindre l'humanité. Dans l'oeuvre de Dieu pour la rédemption de l'homme, la divinité et l'humanité sont unies." *5 Testimonies*, 1948, 747.

"La Bible est écrite par des hommes inspirés, mais elle n'est pas le mode de pensée et d'expression de Dieu. C'est celle de l'humanité. Dieu ne l'a pas écrite. Les hommes diront souvent qu'une telle affirmation n'est pas de Dieu. Mais Dieu ne s'est pas inséré lui-même dans la Bible sous forme de mots, de logique, de rhétorique, d'essai. Les écrivains de la Bible étaient les écrivains de Dieu, et non sa plume. Considérez les différents auteurs.

Ce ne sont pas les mots de la Bible qui sont inspirés, mais les hommes. L'inspiration n'agit pas sur les mots de l'homme ou ses expressions, mais sur l'homme lui-même qui, sous l'influence du Saint-Esprit, est imprégné de pensées. Mais les mots reçoivent la marque de l'esprit individuel. La pensée divine est diffusée. La pensée et la volonté divine sont unies à la pensée de l'homme et à la volonté humaine, ainsi les productions de l'homme sont la Parole de Dieu." *Manuscript*, n. 24.

Rapports avec les 'témoignages' d'E.G. White.

Aux Adventistes se pose, en particulier, la question des rapports entre la Bible et les écrits d'E.G. White. Si ces derniers jouent un rôle inspirateur, ils n'en demeurent pas moins soumis au jugement de l'Écriture sainte.

"La Parole de Dieu est suffisante pour éclairer l'esprit le plus enténébré, et peut être comprise par ceux qui ont quelque désir de la comprendre. Mais malgré tout cela, certains professant étudier la Parole de Dieu se trouvent en opposition flagrante avec ses enseignements les plus clairs. Alors, pour que les hommes et les femmes soient sans excuse, Dieu a donné des témoignages complets et précis, pour les renvoyer à la Parole qu'ils ont négligé de suivre." *2 Testimonies*, 1948, 454-455.

"Les témoignages écrits ne sont pas pour donner de nouvelles lumières, mais pour imprimer profondément sur les coeurs les vérités inspirées déjà révélées. Les devoirs de l'homme à l'égard de Dieu et à l'égard de ses compagnons ont été spécifiés distinctement dans la Parole de Dieu, cependant, peu d'entre vous sont obéissants à la lumière donnée. Une vérité supplémentaire n'est pas donnée, mais au travers des *Témoignages*, Dieu a simplifié les grandes vérités déjà données et les présente à sa manière devant le peuple pour éveiller et impressionner les esprits par leur moyen: afin que nul n'ait d'excuse... Les *Témoignages* ne sont pas donnés pour minimiser la Parole de Dieu, mais pour l'exalter et attirer les pensées vers Elle, afin que la belle simplicité de la vérité fasse impression sur tous." *5 Testimonies*, 1948, 665.

"Il m'a été dit de déclarer : "Je suis la messagère de Dieu, envoyée pour adresser un message de reproche aux Églises, et d'encouragement aux humbles et aux petits." *Review and Herald*, 26 janvier 1905, 9.

"Au regard de l'infaillibilité, je n'ai jamais prétendu l'être ; Dieu seul est infaillible. Sa Parole est véritable, et en Lui il n'y a ni variation, ni ombre de changement." *Letter*, 10, dans C.L. Taylor, 45.

Jésus-Christ

Deux ouvrages d'E.G. White sont généralement offerts aux nouveaux Adventistes à l'occasion de leur baptême : *Jésus-Christ* et *Vers Jésus*. Leur contenu ne cesse d'inspirer les Adventistes dans leurs rapports avec le Sauveur.

Son caractère.

"Bien des gens ont des notions erronées au sujet de la vie et du caractère de Jésus. Ils croient qu'il était étranger à toute cordialité rayonnante, dur, austère et sans joie. Bien souvent, ces fausses conceptions déteignent sur l'expérience religieuse tout entière.

On entend parfois dire : Jésus a pleuré, mais on ignore s'il a jamais souri. Notre Sauveur était, en effet, un homme de douleur et habitué à la souffrance, car il ouvrait son coeur à tous les maux de l'humanité. Mais bien que sa vie fût faite de renoncement, de peines et de soucis, son esprit n'était pas abattu. Son visage ne portait pas l'empreinte du chagrin, mais de la plus parfaite sérénité. Son coeur était une source de vie, et, partout où il allait, il apportait avec lui le calme, la paix, l'enjouement et la joie.

Notre Sauveur était profondément sérieux et intensément préoccupé, mais il n'était jamais taciturne ni morose. La vie de ceux qui l'imitent aura un but bien arrêté ; ils auront un sentiment profond de leur responsabilité personnelle. La légèreté sera réprimée ; toute hilarité bruyante, toute plaisanterie déplacée sera bannie. La religion de Jésus nous donne une paix qui coule comme un fleuve. Elle n'éteint pas la joie, ne restreint pas la bonne humeur, n'assombrit pas le visage radieux et souriant." *Steps to Christ*, 1892, 120.

lui-même" (2 *Corinthiens* 5, 19). Il attire, par son tendre amour, les coeurs de ses enfants égarés. Il n'est pas de parents terrestres qui sachent manifester envers les fautes et les erreurs de leurs enfants la patience que Dieu exerce envers ceux qu'il désire sauver. Nul ne pourrait plaider avec plus de tendresse auprès du transgresseur. Jamais lèvres humaines n'ont adressé aux égarés des supplications plus aimantes. Toutes ses promesses, tous ses avertissements ne sont que les manifestations d'un amour indicible.

Quand Satan vient vous dire que vous êtes un grand pécheur, élevez vos regards sur votre Rédempteur et parlez de ses mérites. Reconnaissez votre péché, mais dites à l'ennemi que Jésus-Christ "est venu dans le monde pour sauver les pécheurs" (1 *Timothée* 1, 15), et que vous pouvez être sauvé par son amour infini. Jésus raconta à Simon l'histoire de deux débiteurs. L'un devait à son maître une petite somme, et l'autre une somme très importante ; mais il remit à l'un et à l'autre leur dette. Puis Jésus demanda à Simon quel était celui des deux débiteurs qui aimerait le plus son maître. Simon répondit : "Celui, je pense, auquel il a le plus remis" (*Luc* 7, 43). Nous avons été de grands pécheurs ; mais Jésus-Christ est mort pour nous assurer le pardon. Les mérites de son sacrifice sont suffisants pour nous réconcilier avec le Père. Ceux auxquels il a le plus pardonné l'aimeront le plus, et se tiendront le plus près de son trône pour le louer de son grand amour et de son sacrifice infini. Ce n'est que par une connaissance plus approfondie de l'amour de Dieu que l'on se rend mieux compte de la malignité du péché. Quand nous comprenons le sacrifice infini de Jésus-Christ en notre faveur, notre coeur se fond de tendresse et de douleur." *Steps to Christ*, 1892, 35-36.

Son salut.

"Il ne suffit pas d'entrevoir la bonté de Dieu, sa bienveillance, sa tendresse paternelle. Il ne suffit pas de discerner la sagesse et la justice de sa loi, de constater qu'elle est fondée sur le principe éternel de l'amour. L'apôtre Paul avait connaissance de tout cela quand il disait : "Je reconnais que la loi est bonne" ; "la loi est sainte, et le commandement est saint, juste et bon." Mais il ajoutait dans l'amertume de son désespoir : "Je suis charnel, vendu au péché" (*Romains* 7, 16.12.14). Il soupirait après une sainteté et une justice qu'il se sentait incapable de réaliser, et il s'écriait : "Misérable que je suis ! Qui me délivrera du corps de cette mort ?" (*Romains* 7, 24). Tel est le cri qu'ont poussé en tout temps et en tout lieu les âmes écrasées par le sentiment du péché. Pour tous, il n'y a qu'une réponse : "Voici l'Agneau de Dieu, qui ôte le péché du monde." (*Jean* 1, 29)." *Steps to Christ*, 1892, 19.

Le salut

Les extraits ci-dessous, mettent en évidence les rapports que le croyant peut entretenir avec Dieu au niveau de son salut. Ils soulignent combien la foi en Christ est seule salvatrice ; elle fait surgir en l'homme le fruit de l'Esprit qu'est l'amour de Dieu et du prochain ; elle se déploie sous la forme de fidélité à la Parole divine.

La justification par la foi.

"Pendant des siècles Satan s'était servi du paganisme pour détourner de Dieu les hommes ; mais son plus grand triomphe avait été la perversion de la foi d'Israël. En contemplant et en adorant leurs propres conceptions, les païens avaient perdu la connaissance de Dieu et s'étaient corrompus. Il en était de même en Israël. L'idée d'après laquelle un homme peut se sauver par ses oeuvres se trouvait à la base de toutes les religions païennes ; cette idée, dont Satan est l'auteur, s'était maintenant introduite dans la religion juive. Partout où elle s'établit, elle renverse les digues qui s'opposent à l'envahissement du péché." *The Desire of Ages*, 1898, 35.

"Quand Dieu pardonne à un pécheur, le dispense de subir le châtiment mérité, le traite comme s'il n'avait jamais péché, il le reçoit dans sa faveur divine et le justifie à travers les mérites de la justice du Christ. Le pécheur ne peut être justifié que grâce à l'expiation consentie par le Fils bien-aimé de Dieu, qui s'est offert en sacrifice pour les péchés d'un monde coupable. Personne ne peut être justifié par une oeuvre quelconque qu'il pourrait accomplir. C'est uniquement en vertu des souffrances, de la mort et de la résurrection du Christ qu'il peut être délivré de sa culpabilité, de la condamnation infligée par la loi, de la peine méritée par ses transgressions. La foi est la seule condition pour obtenir la justification, une foi qui ne soit pas seulement croyance, mais aussi confiance.

Plusieurs ne possèdent qu'une foi nominale en Christ, mais ils ne connaissent pas cette dépendance vitale par rapport à lui, qui leur permettrait de s'approprier les mérites d'un Sauveur crucifié et ressuscité. C'est à propos de cette foi nominale que Jacques a dit : "Tu crois qu'il y a un seul Dieu, tu fais bien ; les démons le croient aussi, et ils tremblent. Veux-tu savoir, ô homme vain, que la foi sans les oeuvres est inutile ?" (*Jacques* 2, 19-20). Nombreux sont ceux qui admettent que Jésus-Christ est le Sauveur du monde, tout en se tenant éloignés de lui ; ils négligent de se repentir de leurs péchés et d'accepter Jésus en tant que Sauveur personnel. Leur foi n'est qu'un simple assentiment de l'esprit qui rend hommage à la vérité sans que cette vérité soit introduite dans le coeur pour sanctifier l'âme et transformer le caractère. "Car ceux qu'il a connus d'avance, il les a aussi prédestinés à être semblables à l'image de son Fils afin que son Fils fût le premier-né entre plusieurs frères. Et ceux qu'il a prédestinés, il les a aussi appelés, et ceux qu'il a appelés, il les a aussi justifiés ; et ceux qu'il a justifiés, il les a aussi glorifiés." (*Romains* 8, 29-30). L'appel et la justification sont deux choses différentes. L'appel consiste dans l'attraction que le Christ exerce sur le pécheur ; c'est l'action du Saint-Esprit sur le coeur, qui amène la conviction du péché et invite à la repentance.

Plusieurs ont des idées confuses au sujet des premiers pas à faire pour parvenir au salut. On s'imagine que la repentance est une oeuvre que le pécheur doit produire de lui-même avant de s'approcher du Christ. On pense que le pécheur doit d'abord se rendre digne de recevoir le bienfait de la grâce de Dieu. S'il est vrai que la repentance doit précéder le pardon, puisque Dieu ne peut agréer qu'un coeur brisé et contrit, néanmoins le pécheur ne peut, de lui-même, se repentir et se préparer à aller au Christ. Le pécheur ne peut être pardonné que s'il se repent, mais la question à décider c'est de savoir si la repentance est l'oeuvre du pécheur ou le don du Christ. Le pécheur doit-il attendre, pour aller au Christ, d'être bourrelé de remords à cause de ses péchés ? Le premier pas dans la direction du Christ est le résultat de l'attraction de l'Esprit de Dieu ; dès que l'homme répond en cédant à cette attraction il s'avance au-devant du Christ pour obtenir le don de la repentance." *Selected Messages*, I, 1958, 389-390

La foi et les œuvres.

"La vraie foi se manifeste par de bonnes oeuvres ; en effet, les bonnes oeuvres sont le fruit de la foi. Dès lors que Dieu opère dans le coeur, et que l'homme se soumet à la volonté de Dieu et coopère avec Dieu, il extériorise dans sa vie ce que Dieu produit en lui par le Saint-Esprit ; il y a accord entre le dessein du coeur et la conduite extérieure. Il faut renoncer à tout péché comme à une chose odieuse qui a crucifié le Seigneur de vie et de gloire ; le croyant doit progresser dans son expérience en accomplissant sans cesse les oeuvres du Christ. On conserve le bienfait de la justification en livrant continuellement sa volonté, en obéissant toujours.

Ceux qui sont justifiés par la foi doivent avoir à coeur de marcher dans la voie du Seigneur. Un homme dont les actions ne correspondent pas à sa profession de foi montre par là qu'il n'est pas justifié par la foi. Jacques a dit "Tu vois que la foi agissait avec ses oeuvres, et que par les oeuvres la foi fut rendue parfaite." (*Jacques* 2, 22). *Selected Messages*, I, 1958, 397.

"Bien des gens s'imaginent devoir accomplir eux-mêmes une partie de cette oeuvre. Ils ont eu confiance en Jésus-Christ pour le pardon de leurs péchés ; mais ensuite, ils veulent faire le bien par leurs propres efforts. Toute tentative de cette espèce est condamnée à un échec. Jésus dit : "Sans moi vous ne pouvez rien faire." Notre développement, notre joie, notre utilité, tout dépend de notre union avec le Sauveur. C'est en étant en communion avec lui chaque jour et à chaque heure, c'est en demeurant en lui que nous pourrons croître en grâce. Non seulement il suscite notre foi, mais il la mène à la perfection. Jésus est le premier et le dernier, toujours, en tout et partout. Il doit être avec nous, non seulement au commencement et à la fin de notre pèlerinage mais à chaque pas du chemin. David dit : "J'ai constamment l'Eternel sous mes yeux ; quand il est à ma droite, je ne chancelle pas" (*Psaumes* 16, 8).

"Comment puis-je demeurer en Jésus-Christ ?" demanderez-vous. De la même manière que vous l'avez reçu. "Comme vous avez reçu le Seigneur Jésus-Christ, marchez en lui." "Mon juste vivra par la foi." (*Colossiens* 2, 6 ; *Hébreux* 10, 38). Vous vous êtes donné à Dieu pour le servir et lui obéir, et vous avez pris Jésus pour votre Sauveur. Vous ne pouviez vous-même faire propitiation pour vos péchés, ni changer votre coeur ; mais vous étant donnés à Dieu, vous avez cru qu'il faisait tout cela pour vous, par amour pour Jésus. C'est par la foi que vous êtes devenu la propriété du Christ ; c'est encore par la foi que vous devez croire en lui. Vous devez tout donner : votre coeur, votre volonté, votre service ; et vous devez tout prendre : Jésus-Christ, la plénitude de toute bénédiction, votre force, votre justice, votre soutien éternel." *Steps to Christ*, 1892, 69-70

"Vous voyez qu'un homme est justifié par les oeuvres et non par la foi seulement... Car comme le corps sans esprit est mort: ainsi aussi la foi sans les oeuvres est morte" (*Jacques* 2, 24.26, version Darby). Il est indispensable d'avoir foi en Jésus, de croire qu'on est sauvé par lui ; cependant il y a danger à prendre l'attitude de plusieurs qui disent : "Je suis sauvé." D'autres ont dit : "Faites de bonne oeuvres, et vous vivrez", mais personne ne peut accomplir de bonnes oeuvres sans Christ. Plusieurs disent aujourd'hui : "Croyez seulement et vous vivrez." La foi et les oeuvres marchent ensemble ; croire et faire sont inséparables. Le Seigneur n'exige pas moins aujourd'hui que ce qu'il exigeait d'Adam dans le paradis, avant la chute - une obéissance parfaite, une justice immaculée. Dieu demande autant sous l'alliance de grâce qu'il demandait dans le paradis - accord avec sa loi sainte, juste et bonne. L'Évangile n'affaiblit pas les droits de la loi ; elle l'exalte, au contraire, et la rend honorable. Sous le Nouveau

Testament, rien de moins n'est exigé que ce qui l'était sous l'Ancien. Que personne n'entretienne l'illusion si chère au coeur naturel, que Dieu se contentera de la sincérité, quelle que soit la croyance, si imparfaite que soit la conduite, car Dieu exige de son enfant une obéissance parfaite.

Pour faire face aux exigences de la loi, notre foi doit se saisir de la justice du Christ et nous l'approprier. Unis avec le Christ, acceptant sa justice par la foi, nous sommes rendus capables d'accomplir les oeuvres de Dieu, d'être les collaborateurs du Christ. Vous n'avez pas la foi si vous vous laissez entraîner par le courant du mal, si vous ne coopérez pas avec les agents célestes pour réprimer la transgression au sein de votre famille et dans l'Église, pour y amener la justice éternelle. La foi agit par amour et purifie l'âme. La foi permet au Saint-Esprit de créer la sainteté dans le coeur ; mais cela n'est possible que si l'homme agit en harmonie avec le Christ. Nous ne sommes qualifiés pour le ciel que si le Saint-Esprit opère dans nos coeurs ; la justice du Christ est notre unique lettre de créance donnant accès au Père. Pour obtenir la justice du Christ, il faut que jour après jour nous soyons transformés par l'action de l'Esprit, afin de devenir participants de la nature divine. L'oeuvre du Saint-Esprit a pour effet d'affiner le goût, de sanctifier le coeur, d'ennoblir l'être tout entier." *My Life Today*, 1952, 39.

La foi et les sentiments.

"Nombreux sont ceux qui commettent une grave erreur dans leur vie religieuse en gardant leur attention fixée sur leurs sentiments et en jugeant ainsi leurs progrès ou leur recul. Les sentiments ne constituent pas un critère sûr. Notre seule espérance est de regarder à Jésus..." *5 Testimonies*, 1948, 199.

L'Église

La conception adventiste de l'Église s'inscrit dans la tradition protestante en rejetant l'autorité pontificale. Les droits de la conscience individuelle sont, pour les Adventistes, fondamentaux. Mais ils n'en évacuent pas pour autant l'autorité de l'Église, en tant que corps de Christ.

Contrairement aux mouvements sectaires, les Adventistes reconnaissent l'authenticité de la foi vécue au sein des Églises protestantes et catholique. On comparera avec intérêt la déclaration conciliaire *Lumen gentium* ou *Gaudium et spes* avec les écrits d'E.G. White ci-dessous.

Son fondement.

"Jésus continua : "Et moi je te dis que tu es Pierre, et que sur cette pierre je bâtirai mon Église et les portes du séjour des morts ne prévaudront pas contre elle." Le mot Pierre signifie un caillou, une pierre roulante. Pierre n'était donc pas le rocher sur lequel l'Église a été fondée. Les portes du séjour des morts ont prévalu contre lui lorsqu'il renia son Seigneur avec serment et avec imprécations. L'Église a été fondée sur quelqu'un contre qui les portes des enfers ne peuvent prévaloir...

"Personne ne peut poser un autre fondement que celui qui a été posé, savoir Jésus-Christ". "Sur cette pierre, dit Jésus, je bâtirai mon Église." En présence de Dieu et des esprits célestes, en présence aussi de l'armée invisible de l'enfer, le Christ a fondé son Église sur le Rocher vivant. Ce Rocher c'est lui-même, – son corps rompu et meurtri pour nous –. Bâtie sur ce fondement, l'Église défie les puissances de l'enfer.

L'Église paraissait encore bien faible au moment où ces paroles du Christ furent prononcées. Il n'y avait qu'une poignée de croyants contre lesquels toutes les puissances du mal, humaines et démoniaques, allaient être dirigées ; cependant les disciples ne devaient pas avoir peur. Fondés sur leur Rocher protecteur, ils ne pouvaient être renversés.

Pendant six mille ans, la foi a bâti sur le Christ. Pendant la même durée, les flots et les tempêtes de la colère de Satan sont venus frapper le Rocher de notre salut ; néanmoins il reste inébranlable.

Pierre avait exprimé la vérité servant de fondement à la foi de l'Église ; c'est pourquoi Jésus l'honora en tant que représentant de tout le corps des croyants. Il lui dit : "Je te donnerai les clefs du royaume des cieux ; ce que tu lieras sur la terre sera lié dans les cieux, et ce que tu délieras sur la terre sera délié dans les cieux."

"Les clefs du royaume des cieux" sont les paroles du Christ. Toutes les paroles de l'Écriture sainte sont de lui et se trouvent renfermées dans cette expression. Ces paroles ont le pouvoir d'ouvrir et de fermer le ciel. Elles énoncent les conditions auxquelles les hommes sont reçus ou rejetés. Ainsi l'oeuvre des prédicateurs de la Parole de Dieu est une odeur de vie pour la vie ou de mort pour la mort. Leur mission entraîne des conséquences éternelles.

Ce n'est pas à Pierre seul qu'a été confiée l'oeuvre de l'Évangile. Plus tard le Sauveur a répété les paroles qu'il avait dites à Pierre, mais en les appliquant directement à l'Église. Les mêmes choses furent énoncées aux Douze en tant que représentants de l'ensemble des croyants. Si Jésus avait conféré à l'un des disciples une autorité particulière sur les autres, on ne les aurait pas vus si souvent se disputer pour savoir lequel était le plus grand. Ils se seraient soumis à la volonté du Maître et ils auraient respecté l'élu de son choix.

Bien loin de placer l'un des disciples à la tête des autres, le Christ leur dit : "Mais vous, ne vous faites pas appeler Rabbi,... et ne vous faites pas appeler conducteurs, car un seul est votre conducteur, le Christ."

"Christ est le chef de tout homme." Dieu, qui "a tout mis sous ses pieds (du Sauveur)", l'a donné "pour chef suprême à l'Église, qui est son corps, la plénitude de celui qui remplit tout en tous". L'Église est fondée sur le Christ ; elle doit donc lui obéir comme à son chef et non pas dépendre de l'homme ni être dominée par l'homme. Plusieurs prétendent que la position élevée qu'ils occupent dans l'Église leur donne le pouvoir d'ordonner aux hommes ce qu'ils doivent croire et faire. Dieu ne sanctionne pas de telles prétentions. Le Sauveur déclare : "Vous êtes tous frères." Tous sont exposés aux tentations et sujets à l'erreur. Nous ne devons nous confier à la direction d'aucun être fini. Le Rocher de la foi, c'est la présence vivante du Christ dans l'Église. Sur lui le plus faible peut s'appuyer, tandis que ceux qui se croient les plus forts se trouveront être les plus faibles si leur capacité ne vient pas du Christ. "Maudit est l'homme qui se confie en l'homme, qui fait de la créature son appui." "De lui, notre Rocher, l'oeuvre est parfaite." "Heureux tous ceux qui cherchent leur refuge en lui." *The Desire of Ages*, 1898, 412-414.

Son autorité.

"De nombreux Chrétiens pensent qu'ils n'ont qu'à s'en référer au Christ seul en ce qui concerne la vérité et leur expérience religieuse, et qu'ils n'ont nul besoin d'avoir recours à ses serviteurs. Il est vrai que Jésus est l'ami des pécheurs, et que son coeur est ému de compassion à leur égard. Il a tout pouvoir dans le ciel et sur la terre, mais il se sert des moyens qu'il a choisis pour éclairer et sauver les hommes. Il conduit les pécheurs à son Église, par laquelle il communique la lumière au monde.

Lorsque, égaré dans ses erreurs et ses préjugés, Saul eut la révélation du Christ qu'il avait persécuté, il fut mis en relation avec l'Église, qui est la lumière du monde. Dans ce cas, Ananias représente le Sauveur, de même que les ministres du Christ sur la terre chargés d'oeuvrer en son nom. A la place de Jésus, Ananias touche les yeux de Saul, afin qu'il recouvre la vue. A sa place, il lui impose les mains, et il prie en son nom pour que Saul reçoive le Saint-Esprit. Tout est accompli au nom et par l'autorité du Christ. C'est lui qui est la source, l'Église est le canal par lequel il se révèle." *The Desire of Ages*, 1898, 122.

Sa dimension.

Églises en général. "Dieu possède des joyaux dans toutes les Églises, et il ne nous appartient pas de dénoncer avec impétuosité le monde qui professe être religieux, mais avec humilité et amour, nous pouvons présenter à tous la vérité telle qu'elle est en Jésus." *Review and Herald*, 17 janvier 1893.

Églises protestantes. "Quels sont les corps religieux dans lesquels se trouve actuellement la plus forte proportion de disciples de Jésus ? Sans aucun doute, dans les diverses Églises professant la foi protestante. Au moment de leur naissance, ces Églises ont pris noblement position pour Dieu et pour la vérité, et la bénédiction de Dieu a reposé sur elles. Les non-croyants eux-mêmes ont dû reconnaître les bienfaits qui découlent de l'acceptation des principes de l'Évangile. Pour employer les termes du prophète, "ta renommée se répandit parmi les nations, à cause de ta beauté ; car elle était parfaite, grâce à l'éclat dont je t'avais ornée, dit le Seigneur, l'Eternel". Mais elles sont tombées par le péché même qui avait été la cause de la ruine d'Israël : le désir de suivre l'exemple et de gagner l'amitié des impies. "Tu t'es confiée dans ta beauté, et tu t'es prostituée, à la faveur de ton nom." *The Great Controversy*, 1888, 383.

Église catholique romaine. "Et il y a actuellement dans toutes les confessions, sans en excepter la communion catholique romaine, de vrais Chrétiens qui croient honnêtement que le dimanche est d'institution divine. Dieu agrée leur sincérité et leur fidélité". *The Great Controversy*, 1888, 449.

Le monde païen. "Parmi les habitants de la terre, répandus dans toutes les nations, se trouvent des hommes qui n'ont pas fléchi les genoux devant Baal. Semblables aux étoiles qui n'apparaissent qu'à la nuit, ils brilleront lorsque les ténèbres couvriront la terre et l'obscurité les peuples. Dans l'Afrique païenne, dans les pays catholiques d'Europe et de l'Amérique du Sud, en Chine, aux Indes, dans les îles lointaines et dans les lieux les plus reculés du globe, le Seigneur possède un firmament d'âmes d'élite qui apparaîtront dans tout leur éclat au sein des ténèbres, révélant nettement au monde apostat le pouvoir transformateur de sa loi. Déjà aujourd'hui, nous les voyons apparaître dans toute nation, tout peuple, toute tribu et toute langue." *Prophets and Kings*, 1917, 188-189.

"Il se peut que ceux qui sont loués par le Christ au jour du jugement ne soient pas très versés dans les sciences théologiques, mais ils ont cultivé les principes divins. Grâce à l'influence de l'Esprit divin, ils ont exercé une action bienfaisante sur leur entourage. Il s'en trouve même parmi les païens qui ont cultivé un esprit de bonté ; avant même d'avoir entendu les paroles de vie, ils ont eu des amabilités

pour les missionnaires et les ont même servis au péril de leur vie. Il
est des païens qui dans leur ignorance adorent Dieu, bien que la
lumière ne leur ait jamais été apportée par des agents humains ; ils
ne périront pas. S'ils ignorent la loi écrite, ils ont entendu la voix
divine leur parlant au moyent de la nature, et ils ont fait ce qu'exige
la loi. Leurs oeuvres démontrent que leurs coeurs ont été touchés
par le Saint-Esprit : aussi sont-ils reconnus comme des enfants de
Dieu." *The Desire of Ages*, 1898, 638.

L'éducation

Si les Adventistes ont développé dans le monde entier un vaste système
d'éducation, cela est dû, sans conteste, aux conseils d'E.G. White dans ce
domaine. Sous son influence des universités, des écoles secondaires ont été
créées, ici et là, dans le monde, par l'organisation.

Pour réaliser leur idéal pédagogique, des croyants se cotisent pour créer
et financer des écoles primaires et secondaires. Certains Adventistes préfèrent
même se retirer à la campagne et répondre aux exigences de la scolarité
obligatoire en inscrivant leurs enfants à un enseignement par correspondance.

Cette méfiance à l'égard de l'enseignement public ne tient pas tant à la
matière enseignée qu'au cadre moral et spirituel dans lequel il se déroule.

L'idéal.

La déclaration suivante établissant le but du premier collège adventiste est
encore valable aujourd'hui pour l'ensemble du système d'éducation de la
dénomination :

"Dieu désire que le collège de Battle Creek atteigne un plus haut
niveau de culture morale et intellectuelle qu'aucune autre institution
comparable dans notre pays. On devrait enseigner à la jeunesse
l'importance de la culture physique, mentale et morale, pour
atteindre non seulement les plus hautes sphères de la science, mais
aussi par la connaissance de Dieu, être instruits à le glorifier ; qu'elle
développe un caractère équilibré, et soit ainsi préparée à être utile
dans ce monde ; qu'elle obtienne les qualités morales nécessaires à
la vie éternelle." *4 Testimonies*, 1948, 425.

"Aujourd'hui le monde a surtout besoin d'hommes, non pas d'hommes qui puissent s'acheter ou se vendre, mais d'hommes qui soient fidèles et honnêtes jusque dans l'intimité de leur âme, d'hommes qui ne craignent pas d'appeler le péché par son nom et dont la conscience est aussi fidèle au devoir que la boussole l'est au pôle, d'hommes qui tiendraient pour la justice et la vérité même si l'univers s'effondrait.

Mais un tel caractère n'est pas accidentel ; il n'est pas le résultat de faveurs particulières de la Providence. Un noble caractère s'acquiert par la discipline de soi-même, la soumission de la nature inférieure à la nature supérieure, et l'abandon de soi-même pour le service d'amour envers Dieu et envers les hommes." *Education*, 1903, 57.

Les moyens.

L'hérédité. "Si, avant la naissance de son enfant, elle (la mère) est capricieuse, égoïste, impatiente, et exigeante, ces traits de caractère se reflèteront dans les dispositions de l'enfant. De nombreux enfants ont ainsi reçu pour patrimoine des tendances presque insurmontables au mal. Mais si la mère adhère fermement à de justes principes, si elle est tempérante et s'oublie elle-même, si elle est aimable, douce et généreuse, elle pourra transmettre à son enfant les mêmes traits de caractère." *The Ministry of Healing*, 1905, 373.

"Ceux qui mettent leur confiance en Christ n'ont pas à se considérer comme asservis par une habitude ou une tendance héréditaire ou cultivée... Dieu ne nous a pas laissés dans la bataille avec notre propre force limitée. Quelles que soient nos tendances au mal, héritées ou cultivées, nous pourrons les vaincre par la force qu'il est prêt à nous communiquer." *The Ministry of Healing*, 1905, 175-176.

L'éducation au foyer. "Les tout petits devraient être instruits avec une simplicité enfantine. Il faut leur apprendre à être heureux d'accomplir les petits devoirs et à jouir des plaisirs de leur âge. L'enfance, c'est l'herbe de la parabole, et l'herbe a une beauté qui lui est propre. Il ne faut pas pousser les enfants à une maturité précoce, mais leur garder aussi longtemps que possible la fraîcheur et la grâce des premières années. Plus la vie de l'enfant est simple et tranquille, moins elle contient d'excitations artificielles, et plus elle est en harmonie avec la nature, plus aussi elle est favorable à la vigueur physique et mentale et à la puissance spirituelle." *Education*, 1903, 107.

La santé. "Il existe une relation directe entre l'esprit et le corps, et pour atteindre un haut niveau moral et intellectuel, il faut prendre au sérieux les lois qui contrôlent notre être physique. Pour obtenir un caractère solide et bien équilibré, il faut exercer et développer à la fois les énergies mentales et physiques." *Patriarchs and Prophets*, 1890, 601.

"Il importe d'insister sur l'influence de l'esprit sur le corps et du corps sur l'esprit. La puissance électrique du cerveau, renforcée par l'activité mentale, vivifie le système tout entier et constitue un élément de grande valeur pour résister à la maladie. Il faut expliquer cela. Le pouvoir de la volonté et du contrôle de soi-même, à la fois pour se préserver de la maladie et pour s'en guérir, les effets déprimants et même ruineux de la colère, du mécontentement, de l'égoïsme ou de l'impureté, ainsi que la puissance vivifiante merveilleuse de la joie, de l'oubli de soi-même et de la reconnaissance doivent aussi être enseignés." *Education*, 1903, 197.

Le développement de la volonté et de l'indépendance d'esprit. "Épargnez toutes les énergies de la volonté... mais donnez-lui la direction qui convient. Traitez-le (l'enfant) avec sagesse et tendresse, comme un trésor sacré. Ne le mettez pas en pièces, mais par le précepte et un bon exemple, modelez-le et formez-le jusqu'à ce qu'il atteigne l'âge des responsabilités." *Counsels to Parents, Teachers, and Students*, 1913, 116.

"Nul ne devrait consentir à n'être qu'une machine conduite par l'esprit d'un autre homme. Dieu nous a donné la capacité de penser et d'agir, et c'est en agissant avec soin, cherchant en Dieu la sagesse, que vous devenez capables de porter des fardeaux. Gardez la personnalité que Dieu vous a donnée. Ne soyez pas l'ombre d'une autre personne. Attendez-vous à ce que le Seigneur travaille en, avec et par vous." *The Ministry of Healing*, 1905, 498-499.

"Des parents exerçant un esprit de domination et d'autorité, qui les conduit à être exigeants dans leur discipline et leurs instructions n'éduquent pas leurs enfants comme il convient. Par leur sévérité à traiter leur erreurs ils développent les plus viles passions du coeur humain et livrent leurs enfants aux dispositions mêmes qu'ils leur ont communiquées." *Child Guidance*, 1954, 286.

Le caractère. "Aucune oeuvre entreprise par l'homme ne demande autant de soins et d'habileté qu'une bonne formation et l'éducation de la jeunesse et des enfants. Aucune influence n'est aussi puissante que celle qui nous entoure dans nos premières années. Le sage disait : "Enseigne à l'enfant la voie qu'il doit suivre : et quand il sera grand, il ne s'en départira point." La nature de l'homme est triple, et la formation envisagée par Salomon comprend l'harmonieux développement des énergies physiques, mentales et spirituelles... Cela implique davantage que la connaissance de livres et l'enseignement des écoles. Cela comprend la pratique de la tempérance, la bonté fraternelle, la piété ; l'accomplissement de nos devoirs à l'égard de nous-même, de nos voisins, et de Dieu." *Fundamentals of Christian Education*, 1923, 57

La consécration. "Les intelligences célestes sont prêtes à collaborer avec les instruments humains pour révéler au monde à quoi les hommes peuvent arriver, et ce que l'on peut faire avec l'aide d'en haut pour le salut de ceux qui périssent. Il n'y a pas de limite à l'utilité de celui qui, s'oubliant lui-même, ouvre son coeur à l'action du Saint-Esprit, et se consacre entièrement au Seigneur. Tous ceux qui offrent ainsi au service de Dieu leur corps, leur âme et leur esprit, ne cesseront de recevoir de nouvelles forces physiques, mentales et spirituelles. Les ressources inépuisables du ciel sont à leur disposition. Le Sauveur leur communique le souffle de son Esprit, la vie de sa vie. Le Saint-Esprit déploie ses plus hautes énergies pour agir dans les coeurs. Par la grâce qui nous est accordée, nous pouvons remporter des victoires qui paraissaient impossibles à cause de nos opinions erronées, de nos préjugés, de nos défauts de caractère et de la petitesse de notre foi.

A tous ceux qui se consacrent sans réserve à son service, le Seigneur donne le pouvoir d'obtenir des résultats illimités. Il accomplira de grandes choses par eux et pour eux." *The Ministry of Healing*, 1905, 159.

L'estime de soi. "S'il est vrai que nous ne devons pas avoir une trop haute estime de nous-même, la Parole de Dieu n'interdit pas le respect de soi. En tant que fils et filles de Dieu, nous devrions cultiver un sens de notre dignité exempt d'orgueil et de suffisance." *Our High Calling*, 1961, 143.

L'effort. "Les facultés mentales sont faites pour être exercées profondément ; elles doivent se développer à résoudre et à maîtriser de difficiles problèmes, sinon l'esprit perd de sa force et de sa capacité à penser. L'esprit doit inventer, travailler et combattre afin de donner force et vigueur à l'intelligence." *Fundamentals of Christian Education*, 1923, 226.

La formation permanente.

"Dieu seul peut mesurer la puissance de l'esprit humain. Il n'entre pas dans ses projets que l'homme se contente de rester dans les bas-fonds de l'ignorance, mais qu'il tire avantage d'une intelligence éclairée et cultivée. Chaque homme, et chaque femme, devrait ressentir l'obligation qui lui est échue d'atteindre les sommets de la grandeur intellectuelle." *4 Testimonies*, 1948, 413.

La santé

Les Adventistes sont connus pour leur position vis à vis de l'alcool, du tabac, et de la viande. En fait ce ne sont là que des épiphénomènes d'une conception globale de la vie. Par leur façon de vivre, les Adventistes se sentent un peuple à part, à la fois à l'avant-garde de la science médicale, et remplissant un rôle prophétique. En dénonçant une forme de vie païenne résumée dans les paroles de l'apôtre : "mangeons et buvons car demain nous mourrons" (*1 Corinthiens* 15, 32), ils soulignent la nécessité pour le croyant racheté à un grand prix de glorifier Dieu dans son corps et son esprit qui appartiennent à Dieu (*1 Corinthiens* 6, 20).

Si l'on considère la date de diffusion des déclarations d'E.G. White reproduites ci-dessous (de 1865 à 1905), on sera frappé de leur portée prémonitoire par rapport aux découvertes de la science médicale.

Les rapports entre l'esprit et le corps.

"La relation existant entre l'esprit et le corps est très étroite. Quand l'un est affecté, l'autre souffre. L'état d'esprit affecte la santé à un degré bien plus élevé que beaucoup ne réalisent... Le chagrin, l'anxiété, le mécontentement, les remords, la culpabilité, la méfiance, tout cela tend à briser les forces de la vie et conduit à la ruine et à la mort.

La maladie est parfois produite, et souvent grandement aggravée par l'imagination. Beaucoup sont invalides toute leur vie alors qu'ils pourraient bien se porter si seulement ils voulaient penser ainsi... Dans le traitement des malades, on ne devrait pas sous-estimer l'effet de l'influence mentale. Bien employée cette influence constitue un des moyens les plus efficaces pour combattre la maladie." *The Ministry of Healing*, 1905, 241.

Les rapports entre le corps et l'esprit.

"Tout ce qui perturbe la circulation des courants électriques dans le système nerveux réduit la force vitale, et conduit à une désensibilisation du cerveau." *2 Testimonies*, 1948, 347 (1869).

Le cadre de vie.

"Les chambres qui ne sont pas exposées à la lumière et à l'air deviennent humides... L'atmosphère de ces chambres est empoisonnée, car elles n'ont pas été purifiées par l'air et le soleil." *2 Selected Messages*, 1865, 462.

"Dans la construction des maisons, il est particulièrement important d'assurer une bonne ventilation et beaucoup de soleil. Qu'il y ait une bonne aération et une abondance de lumière dans chaque pièce de la maison." *The Ministry of Healing*, 1905, 274.

L'exercice en plein air.

"Quand le temps le permet, tous ceux qui le peuvent devraient marcher à l'air libre chaque jour, été comme hiver. Mais le vêtement devrait être adapté à l'exercice et les pieds devraient être bien protégés... Les muscles et les veines sont rendus capables de mieux accomplir leur tâche. Il y aura un accroissement de la vitalité qui est si nécessaire à la santé." *2 Testimonies*, 1948, 529 (1870).

"L'inactivité est une cause féconde de maladie. L'exercice accélère et équilibre la circulation du sang, mais dans le désœuvrement le sang ne circule pas librement et les modifications qu'il doit connaître, si nécessaires à la vie et à la santé, ne se produisent pas. La peau, elle aussi, devient inactive. Les impuretés ne sont pas expulsées comme elles le seraient si la circulation était accélérée par de vigoureux exercices, la peau maintenue en bonne santé, et les poumons remplis d'un air pur et frais. Cet état fait peser une double charge sur les organes chargés de l'excrétion, et la maladie en résulte." *The Ministry of Healing*, 1905, 238.

"L'exercice soulage les dyspeptiques en tonifiant les organes digestifs. Le fait de s'adonner sérieusement à l'étude ou à un exercice violent aussitôt après le repas, entrave la digestion ; car la vitalité de l'organisme, qui est nécessaire pour poursuivre la digestion, est employée ailleurs. Mais une courte promenade après le repas, suivant un rythme modéré, la tête haute et les épaules en arrière, est d'une grande efficacité. L'attention se détourne de soi pour se reporter sur la beauté de la nature." *Counsels on Diet and Foods*, 1938, 104 (1890).

L'alimentation.

Équilibre. "Si vous faites un travail sédentaire, prenez chaque jour de l'exercice, et que dans chacun de vos repas vous ne consommiez pas plus de deux ou trois sortes d'aliments simples, en veillant que soient satisfaites les exigences de l'appétit." *Counsels on Diet and Foods*, 1938, 111 (1896).

Graisse et viande. "La viande est servie cuite dans la graisse parce que, sous cette forme, elle satisfait le goût perverti. Le sang et la graisse des animaux sont considérés comme des mets de luxe. Mais le Seigneur a tout spécialement interdit leur usage. Pourquoi ? Parce que leur consommation provoquerait une circulation de sang malsain dans l'organisme humain. Le mépris envers ces instructions spéciales de Dieu a créé de nombreuses difficultés et entraîné de graves maladies pour les êtres humains... S'ils introduisent dans leur corps ce qui ne peut produire un sang et une chair de bonne qualité, ils devront supporter la conséquence de leur mépris de la Parole de Dieu." *Counsels on Diet and Foods*, 1938, 394 (1896).

"Vous avez de la viande, mais ce n'est pas un bon aliment. Cette abondance de viande vous est préjudiciable. Si chacun de vous voulait revenir à un régime plus frugal, ce qui vous ferait perdre de douze à quinze kilos, vous seriez beaucoup moins exposés à la maladie. L'usage des aliments carnés a eu pour conséquence une mauvaise qualité du sang et des muscles. Vos différents systèmes sont enflammés, sur le point de tomber malades. Vous pourriez être sujets à des attaques aiguës et à une mort soudaine, parce que vous ne possédez pas une constitution assez forte pour narguer la maladie et y résister. Il viendra un temps où la force et la santé que vous vous flattez de posséder maintenant révéleront leurs points faibles." *Counsels on Diet and Foods*, 1938, 387 (1868).

Le sel. "J'emploie un peu de sel et j'en ai toujours à ma disposition, car Dieu m'a révélé que le sel n'est pas nuisible, mais, au contraire, effectivement essentiel pour le sang. Je n'en connais pas la raison, mais je vous donne ce conseil tel qu'il m'a été révélé." *Counsels on Diet and Foods*, 1938, 344 (1901).

"N'employez pas trop de sel, évitez les pickles et les aliments épicés. Mangez des fruits en abondance, et l'irritation de l'estomac, qui incite à boire beaucoup pendant le repas, disparaîtra presque entièrement." *Counsels on Diet and Foods*, 1938, 344 (1905).

Le sucre. "On emploie généralement trop de sucre dans l'alimentation. Les gâteaux, les pâtisseries, les gelées, les confitures sont des causes fréquentes d'indigestion. Les crèmes composées d'oeufs, de lait et de sucre sont particulièrement nuisibles. Il faut éviter du lait et du sucre pris ensemble." *Counsels on Diet and Foods*, 1938, 327 (1905).

"Le sucre encombre l'organisme et empêche le bon fonctionnement des organes vitaux." *Counsels on Diet and Foods*, 1938, 327 (1870).

Les boissons.

Café, thé. "Le thé est un poison et les chrétiens devraient s'en abstenir. Le café a les mêmes effets, mais à un plus grand degré encore. C'est un excitant, et autant il semble donner de forces, autant d'autre part, il épuise et produit la prostration. Les buveurs de thé et de café en portent les signes sur leur visage. Leur peau devient blême et semble privée de vie. Ils n'ont pas l'éclat de la santé." *Counsels on Diet and Foods*, 1938, 421 (1868).

Bière, vin. "Ne prenez jamais ni thé, ni café, ni bière, ni vin, ni aucun spiritueux. L'eau est le liquide le plus convenable pour purifier les tissus." *Counsels on Diet and Foods*, 1938, 422 (1884).

L'alcool. "La consommation modérée (d'alcool) est l'école où les hommes sont formés à une carrière d'ivrogne." *Temperance*, 1949, 278 (1891).

"Celui qui a acquis l'habitude d'employer des boissons enivrantes est dans une situation désespérée. Son cerveau est malade, sa force de volonté est affaiblie. Aucune force ne semble en mesure de contrôler son appétit. On ne peut raisonner avec lui ni le persuader de se priver lui-même." *The Ministry of Healing*, 1905, 344.

Le tabac.

"Ceux qui font usage de tabac affaiblissent aussi leurs facultés physiques et mentales. La nature ne justifie pas l'emploi du tabac. Elle réagit contre ce narcotique et la première fois que le fumeur impose cette habitude anormale à l'organisme, il se produit un vigoureux combat intérieur. L'estomac et, à vrai dire, le corps entier se révoltent contre cette abominable pratique, mais l'homme s'obstine jusqu'à ce que la nature abandonne la lutte et qu'il devienne un esclave du tabac.

Si le salut était offert à l'homme moyennant des conditions aussi pénibles, Dieu passerait pour un maître impitoyable. Satan est un tyran implacable ; il impose à ses sujets de difficiles épreuves et les rend esclaves de leurs passions et de leur appétit. Mais Dieu est conséquent dans ses exigences ; il ne demande à ses enfants que ce qui contribue à leur bonheur présent et futur.

"Tu adoreras le Seigneur, ton Dieu, et tu le serviras lui seul." Tel est l'ordre de Dieu. Cependant, de nombreuses personnes, dont certaines prétendent servir le Seigneur, sont des fumeurs invétérés et font du tabac leur idole. Alors que les hommes devraient respirer un air pur, avoir une haleine pure et louer Dieu pour ses bienfaits, ils polluent l'atmosphère avec la fumée de leur pipe ou de leur cigare. Il leur faut fumer pour stimuler leurs pauvres nerfs relâchés et se préparer ainsi à affronter les devoirs du jour ; car s'ils ne fumaient pas, ils seraient irritables et incapables de contrôler leurs pensées." *Temperance*, 1949, 278-279 (1891).

"Le tabac est un des poisons les plus insidieux et les plus néfastes ; en effet, son action excite les nerfs, puis les paralyse. Il est d'autant plus dangereux que ses effets sur l'organisme sont lents et à peine perceptibles au début. Des milliers de personnes ont succombé à son action toxique. Lentement mais sûrement, elles ont mis fin à leurs jours, en faisant usage de ce poison." *Spiritual Gifts*, IV, 1864, 128.

Quelques prophéties

La prophétie est au coeur même du message adventiste.L'actualité est pour tout Adventiste porteuse d'espérance. Les événements marquants du monde présent sont annonciateurs du proche retour du Christ, conformément aux paroles rapportées par l'évangéliste Matthieu (24, 33) : "Quand vous verrez toutes ces choses, sachez que le Fils de l'Homme est proche, à la porte."

Aux prophéties bibliques s'ajoutent celles d'E.G. White. Nous en citons ici quelques-unes, particulièrement significatives aux yeux des Adventistes.

Un mouvement de réveil religieux universel.

"Dans des visions de la nuit, il me fut montré un grand mouvement de réforme au sein du peuple de Dieu. Beaucoup louaient le Seigneur, les malades étaient guéris, et d'autres miracles s'opéraient. On remarquait un esprit de prière dans le genre de celui qui s'est manifesté avant le grand jour de la Pentecôte. Des centaines et des milliers de personnes se rendaient dans les familles et leur expliquaient les Écritures. Les coeurs étaient touchés par la puissance du Saint-Esprit, et on voyait de véritables conversions. De tous côtés, des portes s'ouvraient à la proclamation de la vérité. Le monde semblait illuminé de la lumière divine. De grandes bénédictions étaient accordées aux enfants de Dieu humbles et sincères. J'entendais des actions de grâces et des louanges. On se serait cru en 1844." *3 Testimonies*, 1948, 411 (1909).

Une grande épreuve de foi.

"Le temps n'est guère éloigné où chaque âme sera éprouvée. On nous pressera d'accepter la marque de la bête. Ceux qui ont peu à peu cédé aux exigences du monde en se conformant à ses coutumes préféreront se soumettre aux puissances du moment plutôt que de s'exposer à la moquerie, aux insultes, aux menaces d'emprisonnement et de mort. Il y aura opposition entre les commandements de Dieu et les lois humaines. A cette époque, l'or sera séparé des scories dans l'Église. La vraie piété se distinguera clairement de ce qui n'en avait que le vernis. Plus d'une étoile dont nous avons admiré l'éclat s'éteindra dans les ténèbres. La paille, tel un nuage, sera balayée par les vents, même là où nous ne voyons que des aires de bon grain. Tous ceux qui portent les ornements du sanctuaire et ne sont pas revêtus de la justice du Christ apparaîtront dans la honte de leur nudité." 5 *Testimonies*, 1948, 80-81 (1882).

Le développement du spiritisme.
"Parallèlement à la prédication de l'Évangile, une oeuvre se poursuit par l'intermédiaire d'esprits mensongers. On joue d'abord, par simple curiosité, avec ces esprits, mais on est vite leurré lorsqu'on aperçoit à l'oeuvre une puissance surhumaine, et l'on ne peut plus alors échapper au contrôle direct d'une volonté étrangère." *The Desire of Ages*, 1898, 258.

"La grande et suprême séduction est imminente. L'antichrist va opérer ses plus grands prodiges sous nos yeux. La contrefaçon sera si parfaite qu'il ne sera possible de la démasquer que par les Écritures. C'est, en effet, par ces dernières qu'il faut éprouver la nature de chaque déclaration et de chaque miracle." *The Great Controversy*, 1888, 593.

L'Antichrist.
"Comme couronnement du grand drame de la séduction, Satan voudra personnifier lui-même l'avènement du Seigneur que l'Église attend depuis si longtemps comme la consommation de ses espérances. En diverses parties du monde, on verra paraître un personnage majestueux, auréolé d'une gloire éclatante qui rappellera la description du Fils de Dieu donnée dans l'*Apocalypse*. Son éclat dépassera tout ce que les yeux des mortels auront jamais contemplé. Ce cri de triomphe déchirera les airs : "Le Christ est venu ! Le Christ est venu !" Les foules se prosterneront devant lui pour l'adorer, tandis qu'il lèvera les mains pour les bénir, exactement comme Jésus

lorsqu'il bénissait ses disciples aux jours de sa chair. Sa voix est douce, contenue et fort mélodieuse. Affable et compatissant, il répète quelques-unes des vérités célestes et consolantes prononcées par le Seigneur. Il guérit les malades, puis, en vertu de son autorité, ce faux Christ affirme avoir transféré le sabbat au dimanche et ordonne à chacun de sanctifier le jour qu'il a béni. Il déclare que ceux qui s'obstinent à observer le septième jour le renient, puisqu'ils refusent de prendre garde aux anges qu'il a envoyés pour apporter la vérité au monde. Cette suprême séduction sera presque irrésistible. Comme les Samaritains éblouis par Simon le Magicien, les foules, du plus grand au plus petit, s'écrieront : "Celui-ci est la puissance de Dieu, celle qui s'appelle la grande (*Actes* 8, 10)." *The Great Controversy*, 1888, 624-625.

Les nouveaux mouvements religieux.
"Au fur et à mesure que nous approchons de la fin des temps, il y aura des manifestations de plus en plus grandes des divinités païennes ; celles-ci feront apparaître leur puissance remarquable et s'exposeront devant les grandes cités du monde entier. Ce tableau a déjà commencé à se réaliser." *Testimonies to Ministers and Gospel workers*, 1923, 117-118 (1890).

La majorité morale aux États-Unis.
"Lorsque les États-Unis, dans les assemblées législatives, voteront des lois pour lier les consciences des hommes quant à leurs privilèges religieux, rendant obligatoire l'observation du dimanche et opprimant ceux qui gardent le sabbat du septième jour, la loi de Dieu sera manifestement annulée dans ce pays : l'apostasie générale sera suivie d'une ruine nationale." *The Seventh-day Adventist Bible Commentary*, 1888, 977.

"Ce mouvement de 'réforme nationale', chargé de la législation religieuse, sera, au temps voulu, animé de ce même esprit d'intolérance et d'oppression qui domina les siècles passés. Des conciles s'arrogeront des prérogatives réservées à Dieu et fouleront aux pieds la liberté de conscience. Quiconque osera braver leurs décrets sera puni de la prison, de l'exil ou de la mort. Si la papauté – ou ses principes – ont à nouveau le pouvoir de légiférer, les feux de la persécution se rallumeront à l'égard de ceux qui ne voudront pas faire le sacrifice de leur conscience et de la vérité pour se soumettre aux erreurs populaires. Or, cela est sur le point de se réaliser." *5 Testimonies*, 1948, 712 (1889).

"Pour amener les gens de toute condition à honorer le dimanche, les dignitaires de l'Église et de l'État mettront en oeuvre l'argent, la persuasion et la force. On suppléera le défaut d'autorité divine par des lois oppressives. La corruption politique, qui étouffe l'amour de la justice aussi bien que les droits de la vérité, jouera son rôle dans la libre Amérique elle-même. En vue de s'assurer ses suffrages, magistrats et législateurs céderont à la clameur populaire en faveur des lois dominicales. La liberté de conscience pour laquelle de si grands sacrifices ont été consentis, sera immolée. Dans le conflit qui s'approche à grands pas, on verra l'accomplissement de ces paroles du prophète : "Le dragon fut irrité contre la femme, et il s'en alla faire la guerre au reste de sa postérité, à ceux qui gardent les commandements de Dieu, et qui ont le témoignage de Jésus (*Apocalypse* 12, 17)." *The Great Controversy*, 1888, 592.

L'union de l'Église et de l'État.
"De même qu'il (Satan) a poussé les nations païennes à détruire Israël, ainsi, dans un proche avenir, il excitera les puissances mauvaises de la terre à détruire le peuple de Dieu. Tous les Chrétiens seront requis d'obéir à des lois humaines et de violer la loi divine. Ceux qui demeureront fidèles à Dieu et au devoir seront menacés, dénoncés et proscrits. Jésus dit : "Vous serez livrés même par vos parents, vos frères, vos proches et vos amis." *5 Testimonies*, 1948, 473 (1885).

LE MANUEL D'ÉGLISE

Normes de vie chrétienne

La Conférence générale des Églises Adventistes tenue en 1882, décida de publier dans la *Review and Herald*, organe de l'Église, des "instructions destinées aux membres officiants de l'Église" en vue d'unifier les règles administratives et les pratiques de l'Église. L'année suivante, une proposition de publier ces instructions sous forme de manuel fut repoussée à l'unanimité, par crainte de formalisme. Mais les années passant, l'Église connut un accroissement inattendu et le besoin se fit sentir d'un *Manuel d'Église* pour permettre le maintien des dispositions prises au cours des années précédentes. C'est ainsi que le premier document parut en 1932. En 1946, il fut décidé que "toutes les modifications ou révisions des règlements contenus dans le *Manuel d'Église* devront recevoir l'accord de la Conférence générale réunie en séance plénière" (*Review and Herald*, 14 juin 1946).

Depuis cette dernière date, le manuel est régulièrement révisé en session de la Conférence générale. Il fait autorité dans l'Église adventiste, selon les termes de son préambule :

"Nous considérons que la plus haute autorité après Dieu parmi les Adventistes du septième jour réside dans la volonté de toute l'Église et que celle-ci est exprimée dans les décisions prises par la Conférence générale agissant dans le cadre de sa juridiction. Tous sans exception sont soumis à ces décisions, à moins qu'elles ne soient en conflit avec la Parole de Dieu et avec les exigences de la conscience (*Review and Herald*, 50/14, 1877, 106)."

Outre les devoirs et responsabilités des membres dirigeants de l'Église, l'organisation des services religieux et des divers organismes auxiliaires de l'Église, le *Manuel* énonce des normes de vie chrétienne et de discipline ecclésiastique. Nous en donnons ci-dessous quelques extraits.

L'étude de la Bible et la prière.

"La vie spirituelle est entretenue par les aliments spirituels. Si l'on veut parfaire sa propre sanctification, il faut persévérer dans l'étude respectueuse de la Bible et dans la prière. Inondés comme nous le sommes de publications de toutes sortes et alors que mille voix sollicitent notre attention, nous avons le devoir de fermer les yeux et les oreilles à tout ce qui peut assiéger notre esprit afin de nous consacrer à l'étude du Livre de Dieu. Le Livre des livres, le livre de vie. Nous serons perdus et nous aurons failli à notre mission si nous cessons d'être le peuple du Livre. Nous ne pouvons espérer vivre "la vie cachée avec Christ en Dieu" (*Colossiens* 3, 3) ou achever son oeuvre que si, jour après jour, nous conversons avec Dieu par la prière et si nous écoutons sa voix s'adressant à nous au travers de la Bible. "Par la prière sincère, nous sommes mis en rapport avec la Sagesse infinie", mais "sans la prière continuelle et sans une vigilance qui ne se dément jamais, nous sommes en danger de tomber dans l'indifférence et de nous éloigner du droit sentier (E.G. White, *Vers Jésus*)." *Manuel*, 132.

Rapports avec la société.

"Tout en étant citoyens des cieux, "d'où nous attendons le Sauveur" (*Philippiens* 3, 20), nous sommes encore dans le monde et faisons partie intégrante de la société humaine. Aussi devons-nous partager avec nos semblables certaines responsabilités relatives aux problèmes de la vie courante. Partout où ils se trouvent, les Adventistes du septième jour devraient, en tant qu'enfants de Dieu, se comporter comme des citoyens modèles, connus pour leur intégrité et leur empressement à contribuer au bien-être commun. Bien que nous soyons surtout responsables envers l'Église et que notre premier devoir soit de prêcher l'Évangile du royaume au monde entier, nous devrions encourager par tous les moyens à notre disposition tout effort en vue d'un meilleur ordre social ; nous devrions toujours, d'une manière ferme et tranquille, maintenir les droits de la justice, tout en restant fidèles à nos convictions religieuses et en restant à l'écart des conflits sociaux et politiques. Nous avons le devoir sacré d'être des citoyens loyaux envers le gouvernement dont nous dépendons, rendant "à César ce qui est à César, et à Dieu ce qui est à Dieu" (*Matthieu* 22, 21)." *Manuel*, 132-133.

L'observation du sabbat.

"L'institution sacrée du sabbat est un gage de l'amour divin pour l'homme. C'est un mémorial de la puissance de Dieu qui s'est manifestée dans la création, en même temps qu'un signe de la puissance par laquelle il peut nous recréer et sanctifier notre vie. (*Ézéchiel* 20, 12). Une observation convenable du sabbat atteste notre fidélité au Créateur et notre communion avec le Rédempteur. D'une manière toute particulière, le sabbat met à l'épreuve notre obéissance. Comment pourrions-nous présenter au monde le message du sabbat si nous n'avons pas, individuellement, passé victorieusement cette épreuve ?

Les heures du sabbat appartiennent à Dieu et doivent lui être réservées exclusivement. Dans l'observation du jour du Seigneur, il n'y a point de place pour nos propres plaisirs, nos propres affaires, nos propres paroles, nos propres pensées (*Ésaïe* 58, 13). Au coucher du soleil, réunissons tous les membres de la famille et commençons le saint sabbat par des prières et des chants. Terminons-le en remerciant Dieu pour son merveilleux amour. Le sabbat est un jour mis à part pour le culte à la maison et à l'église, un jour de joie pour nous et pour nos enfants, un jour où nous cherchons à mieux connaître Dieu en étudiant la Bible et les grandes leçons contenues dans le livre de la nature. C'est un temps approprié pour visiter les malades et pour diffuser l'Évangile du salut. Que les occupations profanes auxquelles nous vaquons pendant les six jours de la semaine soient mises de côté. Qu'on ne fasse que le strict nécessaire. Les lectures et les émissions profanes de la radio et de la télévision ne devraient pas occuper notre temps pendant le saint jour de Dieu...

Un programme d'activités bien dirigées, en harmonie avec l'esprit de la véritable observation du sabbat, fera de ce jour béni le meilleur et le plus heureux de tous les jours de la semaine, pour nous et pour nos enfants, un véritable avant-goût du repos céleste." *Manuel*, 133.

Le vêtement.

"En tant qu'Adventistes du septième jour, nous avons été appelés à sortir du monde. Nous sommes des réformateurs. La vraie religion marque de son empreinte tous les aspects de la vie, elle doit exercer une influence transformatrice sur toutes nos activités. Notre comportement doit être déterminé par des principes et non par les habitudes du monde qui nous entoure. Les us et coutumes changent d'année en année, mais les principes qui doivent régir la conduite restent les mêmes. Le vêtement est un facteur important dans la formation du caractère chrétien. Très tôt au cours de notre histoire, des instructions nous ont été données sur la manière de nous vêtir en tant que Chrétiens. Ces instructions ont pour but "de préserver le peuple de Dieu des influences corruptrices du monde et de favoriser la santé physique et morale" (E.G. White, *4 Testimonies*, 1948, 634). Quel vaste dessein ! Il ne s'agit pas simplement d'être différents des autres par nos vêtements, mais toutes les fois que les principes de la moralité sont en cause, le Chrétien sérieux doit rester fidèle à ses convictions plutôt que de suivre la mode du jour.

"Les Chrétiens devraient éviter un étalage de mauvais goût et des ornements excessifs. Que le vêtement soit, autant que possible, de bonne qualité, fonctionnel et de couleur seyante. Il devrait être choisi de manière à durer plutôt qu'à frapper les regards." Notre habillement devrait être empreint de beauté, de grâce modeste, de simplicité (E.G. White, *Messages à la jeunesse*, 1968, 347-348). Afin de ne pas attirer l'attention, il devrait rester dans un juste milieu... Le Chrétien doit s'oublier lui-même, ce qui est incompatible avec le port de bijoux destinés à attirer l'attention...

Souvenons-nous que ce n'est pas la parure extérieure qui exprime un caractère véritablement chrétien, mais la parure intérieure et cachée dans le coeur, la pureté incorruptible d'un esprit doux et paisible, qui est d'un grand prix devant Dieu. (*1 Pierre* 3, 4). Il faut aussi éviter le maquillage, qui serait contraire au bon goût et à la modestie chrétienne. La propreté ainsi qu'un comportement conforme à l'exemple du Christ devraient caractériser toute personne qui s'efforce en tout temps de plaire au Seigneur et de le représenter convenablement..." *Manuel*, 135-136.

Lectures.

"L'esprit est la mesure de l'homme. Il importe donc de lui donner une nourriture qui puisse former son caractère et le préparer pour les devoirs de la vie. Il convient de veiller avec soin à nos habitudes mentales. Rien ne révèle mieux notre caractère que ce que nous lisons et ce que nous écoutons. Les livres et autres publications sont d'excellents moyens d'éducation et de culture, à condition d'être bien choisis et bien employés. Il existe de bons livres et de bonnes revues à profusion ; malheureusement, il y a aussi un flot de littérature néfaste, souvent présentée d'une manière attrayante, mais dangereuse pour l'esprit et la morale. Les récits d'aventures et de crimes, vrais ou fictifs, qui sont rapportés dans les revues et à la radio, ne sont utiles ni à la jeunesse ni aux adultes. "Ceux qui se passionnent pour les récits à sensation ne font qu'amoindrir leurs facultés mentales et rendre leurs esprits incapables d'efforts vigoureux et de recherches" (E.G. White, *Counsels to Teachers*, 1913, 135)".

Outre les maux qu'elle engendre, la lecture des romans "enlève à l'âme la faculté de méditer sur les grands problèmes de la destinée et elle détourne des devoirs pratiques de la vie". (ib. 383)." *Manuel*, 136-137.

Loisirs et divertissements.

"Les loisirs ont pour but de renouveler les forces physiques et mentales. Une personne saine n'éprouvera pas le besoin de se livrer à des divertissements mondains, mais elle trouvera son épanouissement grâce à de bonnes activités récréatives.

"Une grande partie des divertissements aujourd'hui en vogue, même parmi les personnes qui se disent chrétiennes, ressemblent à ceux des païens. Il en est peu, en tout cas, que Satan n'utilise pour la destruction des âmes. Depuis des siècles, il emploie le théâtre pour enflammer les passions et glorifier le vice. Il se sert des spectacles grandioses et de la musique ensorcelante de l'opéra. Il recourt au carnaval, à la danse et aux jeux de cartes pour faire fléchir les barrières morales et pour ouvrir les portes à la sensualité. Dans tous les amusements qui incitent à l'orgueil et à la bonne chère, où l'on oublie Dieu et les choses éternelles, on voit Satan à l'oeuvre forgeant des chaînes pour asservir les âmes" (E.G. White, *Patriarches et prophètes*, 1975, 440).

Nous devons également mettre en garde nos frères et soeurs contre l'influence subtile et néfaste du cinéma, où il n'y a pas de place pour le Chrétien. Des films romanesques qui présentent d'une manière suggestive les péchés et les crimes de l'humanité – meurtres, adultères, vols et autres maux – expliquent en grande partie l'abaissement du niveau de la moralité. Nous en appelons aux parents, aux enfants et aux jeunes gens pour qu'ils fuient ces lieux de divertissement et qu'ils évitent ces films qui glorifient des acteurs et des vedettes professionnels. Si nous trouvons nos délices dans le vaste monde de la nature créée par Dieu, et dans l'histoire merveilleuse des oeuvres divines, nous ne nous laisserons pas attirer par les spectacles puérils du cinéma..." *Manuel*, 137-138.

Relations sociales.

"C'est Dieu qui nous a dotés d'un instinct social, autant pour notre épanouissement que pour notre plaisir. "Le contact mutuel affine et polit, et les relations sociales offrent l'occasion de faire des connaissances, de contracter des amitiés, qui créent une atmosphère d'unité et d'amour, agréable aux yeux de Dieu et des habitants du ciel" (E.G. White, *Témoignage*, 2, 1955, 512). Les relations légitimes entre personnes des deux sexes sont bénéfiques pour les uns comme pour les autres. Ces relations doivent rester sur un plan élevé et respecter les conventions et les restrictions destinées à la protection de la société et des individus. Il va sans dire que le but de Satan est de pervertir tout ce qui est bon : c'est ainsi que les meilleures choses peuvent devenir les pires. Il importe donc que les Chrétiens se conforment à des idéaux de vie sociale bien définis.

De nos jours, les principes qui permettraient d'avoir des rapports sociaux sains et agréables ont été foulés aux pieds. Sous l'influence de la passion que les règles de la morale et de la religion ne contiennent plus, les relations entre personnes des deux sexes ont dégénéré en licence. Des millions de personnes troquent les expériences douces et sacrées qu'elles pourraient éprouver en tant que parents contre les fruits amers et pleins de remords de la luxure.

Il incombe aux parents et aux guides spirituels de la jeunesse d'envisager sans fausse pudeur les réalités de la vie sociale pour aborder avec compréhension les problèmes de la jeunesse actuelle. Il faut lui procurer le milieu le plus favorable et rester en contact avec elle pour lui faire partager les idéaux de la vie ainsi que la dynamique du christianisme, afin de la préserver de la corruption qui domine dans le monde par la convoitise.

Nous disons à nos jeunes : "Prenez vos responsabilités. Quelles que soient les fautes commises par vos parents, vous avez la possibilité et le devoir de connaître et de maintenir les idéaux chrétiens les plus élevés." Une étude respectueuse de la Bible, une connaissance approfondie des lois de la nature, un soin vigilant pour conserver les énergies sacrées du corps, un noble dessein, la persévérance dans la prière, une disposition à se dévouer au service de ses semblables, permettront de résister aux sollicitations du Malin et de forger un caractère capable d'exercer une influence ennoblissante sur la société.

Les réunions auxquelles participent jeunes et moins jeunes devraient être des occasions, non pas d'amusements frivoles et vulgaires, mais de fraterniser dans la joie pour cultiver les facultés de l'esprit et de l'âme. Une bonne musique, une conversation édifiante, des récits intéressants, des films, des jeux d'un caractère éducatif, et par-dessus tout l'élaboration de plans d'activité missionnaire constitueront des programmes bienfaisants pour tous." *Manuel*, 138-139.

Discipline ecclésiastique

Les fautes graves et leur sanction.

"Entre autres péchés graves pour lesquels un membre d'Église s'expose à des mesures disciplinaires, il convient de citer les suivants :

1. L'abandon des fondements de l'Évangile ou des doctrines cardinales de l'Église ou l'enseignement des doctrines opposées.

2. Une transgression ouverte de la loi de Dieu, comme l'idolâtrie, le meurtre, l'adultère, la fornication et diverses autres perversions, le vol, le blasphème, les jeux d'argent, la violation du sabbat, le mensonge volontaire et habituel.

3. La violation du septième commandement de la loi de Dieu en rapport avec l'institution du mariage, le foyer chrétien, et les règles bibliques de conduite morale.

4. Des violations telles que la fornication, la promiscuité, l'inceste, la pratique homosexuelle et d'autres perversions, et le remariage d'une personne divorcée, à l'exception de la 'partie innocente', dans un divorce pour adultère ou perversion sexuelle.

5. Affaire frauduleuse.

6. Inconduite qui déshonore la Cause.

7. L'adhésion ou la participation aux activités d'un mouvement ou d'une organisation subversifs.

8. Le refus persistant de reconnaître l'autorité de l'Église ou de se soumettre à l'ordre ou à la discipline.

9. L'usage, la fabrication ou la vente de boissons alcoolisées.

10. L'usage du tabac.

11. Le mauvais usage ou le trafic des narcotiques ou des autres drogues.

L'Église adventiste du septième jour reconnaît la nécessité d'exercer une grande vigilance afin de sauvegarder les intérêts spirituels de ses membres, de se comporter envers eux avec loyauté et de préserver la réputation de l'Église.

Dans certains cas, lorsque la trangression d'un commandement de Dieu est suivie d'un profond repentir et d'une confession spontanée et complète, offrant la preuve d'une conversion authentique, l'Église peut se contenter de placer le coupable sous la censure pour une certaine période.

Quand il y a eu violation flagrante de la loi de Dieu et que l'opprobre a été jetée sur la Cause, même s'il y a une confession sincère, l'Église peut juger nécessaire d'exclure le membre pour sauvegarder sa propre réputation et ses idéaux chrétiens. Plus tard, si sa conduite est satisfaisante, le coupable peut être réintégré par un nouveau baptême. L'Église ne peut se permettre d'agir à la légère à l'égard de tels péchés ni se laisser influencer par des considérations personnelles. Elle doit exprimer avec énergie sa désapprobation à l'égard du péché quand il s'agit de fornication, d'adultère, d'actes immoraux, ou d'autres fautes graves ; en même temps, il faut tout faire pour ramener les égarés. A mesure que le monde se relâche dans sa moralité, l'Église ne doit pas abaisser le niveau des exigences divines, mais agir avec promptitude et énergie quand la situation l'exige." *Manuel*, 150-151.

THÉOLOGIENS ADVENTISTES CONTEMPORAINS

Le sabbat.

"L'homme ne peut se sauver par ses oeuvres. Rien de ce qu'il réalise ou achève ne contribue à le faire accepter par Dieu. L'observation du sabbat, en conséquence, ne peut contribuer à la justification du pécheur. Au contraire, le sabbat lui-même est un signe de la grâce de Dieu, du fait que le salut ne vient de rien de ce que l'homme fait, mais de tout ce que Dieu fait.

Le premier sabbat observé par nos premiers parents prend place le premier jour après leur création. Ainsi, ils furent invités à se reposer non pour quelque chose qu'ils auraient accompli, mais parce que Dieu avait fini son oeuvre. Ils entrèrent dans la sabbat les mains vides de toute oeuvre humaine ; tout ce qu'ils pouvaient faire, c'est de contempler ce que Dieu avait fait pour eux. Le sabbat, souvenir de leur expérience de leur premier jour, leur rappellera continuellement qu'ils n'avaient rien à offrir à Dieu. Ils devaient accepter le sabbat comme un don que Dieu leur faisait.

Le sabbat, nous cessons nos propres oeuvres. Dieu nous invite à nous détourner de nous-même et de nos oeuvres pour nous tourner vers lui et ses oeuvres. Le jour du sabbat, Dieu désire nous rappeler qu'en sa présence les succès humains et les oeuvres humaines doivent être mis de côté. Il désire nous rappeler que nous ne pouvons nous justifier nous-même et qu'il ne nous faut point faire confiance à notre propre habileté et à nos oeuvres.

Quand nous cessons notre travail, nous réalisons qu'il n'est pas important. Nous pouvons nous arrêter et la terre continue à tourner. Ce que nous faisons, quelle que soit son importance, n'est pas indispensable. Nous pouvons cesser notre travail, mais Dieu continue à soutenir son oeuvre. C'est l'activité de Dieu qui est importante, non la nôtre. Le sabbat nous apprend aussi que Dieu a pris l'initiative – il crée, il agit, il donne, il pourvoie, il invite, il bénit, il sanctifie. Nous sommes les créatures bénéficiaires, les spectateurs, les invités.

Même ce qui est ordonné par Dieu peut être récupéré par l'homme et transformé en prétention de propre justice. La prière, l'aumône et le jeûne, peuvent être, et ont été employés comme des oeuvres de la loi pour faire valoir des mérites devant Dieu. Et il est un fait reconnu que le sabbat, lui aussi, a été récupéré de cette manière. Mais quelque chose dans le sabbat milite contre cet esprit légaliste, c'est son caractère arbitraire. Le commandement du sabbat n'ordonne pas simplement l'observation d'un jour, mais spécifie quel jour ce doit être. Le septième jour n'est pas un jour naturel d'adoration en rapport avec les semailles et la récolte, avec la révolution du soleil ou de la lune. Il n'est pas en rapport avec un phénomène naturel dans les cieux ou sur la terre, comme la Pâque, la Pentecôte, la fête des Tabernacles et les nouvelles lunes. Seule une révélation peut le désigner comme le jour qui rappelle le repos de Dieu à la création. Parce qu'elle correspond en quelque sorte à un jour arbitraire, l'observation du sabbat, le septième jour est, en fin de compte, un acte d'obéissance, un acte de renoncement à soi dans la foi, de reconnaissance de la souveraineté de Dieu.

La souveraineté de Dieu sur l'homme et sur son temps, exprimée dans le commandement du sabbat, ne se limite pas à ce jour. Elle s'étend à tout le temps de l'homme et à l'homme tout entier. Si Dieu nous demande de lui réserver le jour du sabbat, cela ne signifie pas que nous pouvons faire comme il nous plaît le reste de la semaine. Bien que tout temps ne soit pas un temps sacré comme l'est le sabbat, il n'en demeure pas moins un temps à vivre en reconnaissant la souveraineté de Dieu, un temps au cours duquel nous vivons en relation avec lui et ses principes...

L'exigence du septième jour est un défi de Dieu à l'autonomie de l'homme. Pour beaucoup, une telle interruption ne peut être acceptée. Certains proposent d'avoir des services religieux avant le week-end de telle sorte que leurs congés puissent être vécu sans interruption.

La majorité n'a tout simplement pas de temps pour Dieu. Mais l'exigence de Dieu est insistante. Si nous devons adorer Dieu, il nous faut le faire comme il l'entend. Nous ne pouvons manipuler Dieu et son sabbat à notre convenance. Nous sommes libres d'adorer Dieu ou non, mais si nous l'adorons, ce doit être dans les termes de Dieu, non dans les nôtres!" S. Kubo, *The Experience of liberation*, Spectrum 9/7, 1977, 9-10.

L'évolution et la foi chrétienne.

"L'évolution, que les Chrétiens d'Europe semblent accepter si facilement, présente un tableau qui s'oppose en tout point à ce que nous venons d'évoquer. Et c'est pour cela que nous la combattons. Non pas au nom de quelque biblicisme littéral et étroit, comme certains voudraient bien le faire croire : nous n'avons cité aucun texte biblique s'opposant, dans sa formulation, à l'idée de l'évolution ; il n'en manque pourtant pas. La raison en est simple : pour nous, en effet, ce ne sont pas tels ou tels textes isolés qui s'opposent à la théorie évolutionniste, quand bien même il y en aurait cent ! C'est l'ensemble du message chrétien, dans son fond, dans sa substance, dans son sens le plus manifeste, dans son intention même. Qu'on nous permette de le souligner en quelques lignes.

La Bible nous présente un monde parfait, créé d'emblée par un Dieu d'ordre. L'évolution nous parle d'un magma de matières où seules règnent les lois du hasard, et d'où peu à peu émerge la vie.

La Bible nous parle d'un monde d'harmonie, de paix et d'amour, où l'homme créé par Dieu aurait pu vivre en communion permanente avec le Créateur, et par là vivre éternellement, sans connaître la mort ni la souffrance. L'évolution nous dit que la vie est apparue par hasard et qu'en tout cas la mort a toujours été liée à la vie par une loi de nécessité absolue.

La Bible nous parle de la perte de la perfection originelle par la faute de l'homme qui, en péchant, a introduit dans le monde le mal, la dégénérescence et la mort. L'évolution nie cette perfection originelle et cette dégradation. Bien au contraire, tout progresse, les espèces sont peu à peu devenues plus complexes, plus perfectionnées, intelligentes. Tout ceci grâce à la mort qui, loin d'être la conséquence du péché, est au contraire un des principaux moteurs de l'évolution. Sur le plan physique, l'évolution de l'homme semble bien achevée, mais sur le plan psychique et spirituel, si l'on en croit encore Teilhard, l'évolution se poursuit ; l'humanité devient plus 'sociale', l'intelligence augmente, l'avenir radieux est devant nous. Les atrocités de la guerre sino-japonaise ne le troublaient pas trop : elles n'étaient, pensait-il, que les derniers soubresauts de la résistance au progrès. Comme toutes les exceptions, elles ne faisaient que 'confirmer la règle'. Une exception ! Ses disciples conservent aujourd'hui la même attitude optimiste devant la propagation de la drogue et l'augmentation de la délinquance, devant la violence qui se généralise, devant les meurtres gratuits sur les routes ou ailleurs, les enlèvements d'enfants, les prises d'otages, les génocides des Biafrais ou des Kurdes, devant les camps de concentration du Chili et les méthodes de la 'normalisation' tchèque, devant la course aux armements et le mercantilisme éhonté et hypocrite des États 'marchands de canons'. Cela dénote une belle foi, au moins aussi naïve que celle qu'on nous reproche. Car non seulement, elle est démentie par les événements que nous vivons, mais encore elle ne repose sur aucune des paroles du Christ ou des apôtres.

La Bible ose nous parler du péché. Elle le rend responsable de la régression. Elle nous dit que les hommes en sont coupables, mais que le Christ nous a délivrés de la condamnation qui en résulte, et que par la foi, nous pouvons 'récupérer' la vie éternelle dont nous avons été privés par notre faute. Pour l'évolution, le seul péché, c'est... ce qui s'oppose à l'évolution. Les évolutionnistes athées n'ont que faire du Christ, les évolutionnistes chrétiens n'en font pas le Sauveur d'une humanité déchue, mais le promoteur d'une nouvelle humanité en marche vers le progrès. Quant à la vie éternelle, il n'y faut point songer. L'homme a toujours été mortel, et il doit bien s'en accommoder. Les hommes meurent, l'homme demeure. Et il progresse, de mort en mort et de souffrance en souffrance, vers son type le plus accompli, le Christ oméga, terme ultime d'une évolution irréversible. On ne peut pas mieux dénaturer le message de Jésus-Christ.

La Bible nous parle enfin d'une nouvelle terre où la justice habitera, d'une nouvelle création parfaite qui viendra mettre fin à notre monde de souffrance, qui rétablira la première création parfaite dont les hommes n'ont point voulu. Elle promet cette nouvelle terre à tous ceux qui auront voulu vivre, vivre selon les principes de Dieu dès ici-bas, afin de pouvoir être en harmonie avec les lois qui régiront ce royaume à venir. L'évolution, elle, ne nous promet qu'une longue marche vers un avenir radieux, certes, mais dont on ne saurait exclure ni la souffrance ni la mort, et que nous ne verrons pas personnellement. Là où la Bible parle de résurrection des morts, l'évolution répond par la lente surrection des espèces par et à travers la mort. Peut-on imaginer opposition plus radicale ?" J. Flori, *Évolutionniste ou chrétien ?*, Dammarie-les-Lys, Signes des temps, 1976, 26-28.

PIÉTÉ

Jésus.
"Il est un nom si beau, si doux,
Qu'on ne prononce qu'à genoux,
Un nom qui fait vibrer mon âme,
Un nom que l'univers proclame :
　　C'est Jésus !

Lorsque j'étais sans foi ni loi,
Loin du bonheur qui n'est qu'en toi,
En proie au doute et solitaire,
Sur moi resplendit ta lumière,
　　O Jésus !

En toi j'ai vu la sainteté,
L'amour et la félicité.
Penché sur ton oeuvre admirable,
J'ai béni ton nom adorable,
　　O Jésus !

Tu m'as donné ta douce paix
En me comblant de tes bienfaits ;
Par toi j'ai recouvré la joie,
J'ai trouvé la céleste voie,
      O Jésus !

Et depuis lors, ton nom si doux
J'aime le redire à genoux,
Le cacher au fond de mon âme ;
Car de toi seul je me réclame,
      O Jésus !"

            L.-A. Mathy

Hymnes et louanges : recueil de cantiques à l'usage des Églises Adventistes de langue française, Dammarie-les-Lys, Signes des Temps, 1970[8].

Art sacré

La construction de près de 26.000 lieux de culte en un peu plus de cent ans a conduit l'Église adventiste à s'insérer dans les milieux les plus divers, et à faire place à un très large éventail d'art sacré.

L'architecture n'étant pas dépendante d'une armature dogmatique, les bâtisseurs traduisent leur foi en fonction de leur tempérament. La construction d'une église et son aménagement est souvent l'oeuvre de toute la communauté. Un comité élu discute et compare plans et appels d'offres. Toutes les bonnes volontés sont requises pour l'aménagement intérieur et parfois même pour le gros oeuvre.

Les églises récentes sont marquées par le modernisme. Le béton, le fer, le bois, les couleurs éclatantes donnent à certains édifices un caractère futuriste. Une stylisation épurée côtoie parfois le romantisme et le baroque. L'ornementation peut tout aussi bien être gratuite, abstraite, qu'être constituée d'images-symboles.

La réhabilitation en chapelle d'anciens magasins, d'usines ou d'ateliers, impose à l'architecte des contraintes nouvelles, d'autant que l'aménagement intérieur doit répondre à certaines attentes.

Une église adventiste, en effet, comprend en principe deux parties bien distinctes : une vaste salle réservée au culte et aux réunions à caractère spirituel ; un ensemble de locaux annexes reservés aux enfants et à la jeunesse.

Les salles annexes sont aménagées pour répondre aux besoins spécifiques de l'enseignement de la Bible aux enfants (flanellographes, tableaux, plateaux de sable) ou pour leurs activités non cultuelles (scoutisme, rencontres sociales).

L'art sacré trouve sa pleine expression dans l'ornementation et l'aménagement du lieu de culte. Des vitraux ou des peintures à même le mur colorent une salle généralement sobre et dépouillée. Les artistes aiment à reprendre le thème du Saint-Esprit ou celui des trois anges mentionnés au chapitre 14 de l'*Apocalypse*. Les Adventistes reconnaissent, en effet, leur mission dans les messages de ces anges.

Une église adventiste comporte généralement sur le devant de la salle une estrade avec des chaises pour les officiants. Dans certaines églises, un baptistère pour adultes est placé en profondeur sous l'estrade. Il est de forme rectangulaire. Une recherche de symbolisme peut conduire à lui donner une forme d'oméga, les deux branches de la lettre grecque servant d'escalier, ou octogonale, forme géométrique cachant la croix. Dans de tels cas, le mur derrière l'estrade est sobrement décoré d'une croix ou d'un texte biblique.

Parfois le baptistère se trouve à l'arrière de l'estrade, légèrement surélevé et caché par un rideau. A l'ouverture de ce dernier, on découvre un décor artistique représentant la mer, un lac ou une rivière.

Un pupitre, à l'avant de l'estrade est souvent en bois, gravé de scènes bibliques.

Une table de communion, de forme massive sépare l'estrade de l'assemblée. Une Bible ouverte décore la table. Elle est ôtée lors de la cérémonie de la sainte Cène pour laisser place aux emblèmes du corps du Christ, le pain et le vin.

La décoration extérieure des églises est des plus discrètes. Parfois seule une plaque fixée au mur ou plantée près de la route avertit le passant qu'il s'agit d'une église adventiste. Si la façade le permet, une croix attirera le regard.

Les artistes adventistes se sont surtout exprimés par l'illustration de livres et de revues, et dans la peinture. En 1876 déjà, James White vendait pour un dollar un dessin de sa main intitulé *Du paradis perdu au paradis restauré.* Accompagné d'une brochure explicative, il présentait Jésus crucifié au centre de l'image. Sur la gauche, à l'ombre de la croix, Adam et Ève chassés du paradis, les autels de Caïn et Abel, le sacrifice de l'agneau dans le sanctuaire, et les deux tables de la loi. A droite de la croix, la chambre haute et le baptême. Dans l'angle supérieur, la sainte cité.

Les anciennes éditions d'ouvrages adventistes comportaient des illustrations de Gustave Doré, et d'artistes allemands tels que Hoffmann, Plockhorst, Zimmermann. Puis, l'Église croissant, des hommes de talents ont enrichi le mouvement de leur art. La première tentative à succès fut la publication d'un ouvrage en dix volumes d'Arthur Maxwell, *Les Belles histoires de la Bible.* De nombreuses illustrateurs y contribuent, dont H. Anderson, grand artiste américain converti à l'adventisme, Y. Schlaikjer, N.A.R. Harlan (petit fils de J.N. Andrews), V. Nye. La qualité des illustrations contribue à la vente phénoménale de cet ouvrage traduit en plusieurs langues. Deux tableaux d'H. Anderson connurent un franc succès dans les milieux adventistes. Ils s'intitulent *Qu'est-il arrivé à tes mains ?* et *Le prince de la paix.* Le premier représente Jésus assis dans un jardin et entouré d'enfants qui s'interrogent sur sa main blessée. Le second est un portrait.

Dans le domaine de la sculpture, les oeuvres d'Alan Collins ont acquis une dimension internationale. Dans la francophonie, on peut citer Bertha Saveniers.

Récemment, en juillet 1985, s'est tenu la première exposition internationale d'art adventiste. Soixante-huit artistes exposèrent 97 tableaux et deux sculptures à La Nouvelle-Orléans. Vingt-quatre pays étaient représentés. Fait significatif : alors que les sujets étaient libres, plus de la moitié des thèmes exposés par les artistes avaient un caractère religieux. Les images qui ont aidé à créer une identité spirituelle parmi les Adventistes pendant les premières décennies continuent à influencer l'engagement spirituel des artistes adventistes aujourd'hui. Il existe bel et bien une culture artistique adventiste dont on trouve trace dans toutes les expressions de son art religieux.

Vie spirituelle

L'ANNÉE LITURGIQUE

L'année liturgique de l'Église adventiste du septième jour se divise en quatre trimestres au terme desquels toute l'assemblée est invitée à célébrer la sainte Cène. Au printemps et en automne, une semaine de prière réunit chaque jour la communauté dans un élan de piété. En dehors de ces points forts du calendrier religieux, aucune célébration particulière n'est programmée. Il n'est pas rare que les pasteurs s'associent à la chrétienté en général, aux grandes fêtes de Pâques, Pentecôte, Noël, par un sermon de circonstance. Mais aucune liturgie particulière n'est élaborée pour ces jours de commémoration.

LA LITURGIE DU SABBAT

Le culte adventiste se partage en deux temps bien distincts dont l'organisation interne est laissée à la libre décision des communautés.

L'Église à l'étude.

Cette partie du culte est le plus fréquemment appelée : 'école du sabbat'.

Après quelques paroles de bienvenue, l'officiant invite l'assemblée à chanter un des cantiques du recueil adventiste. Puis, après une prière de consécration, la communauté se partage en groupes pour une étude d'une section ou d'un thème de l'Écriture.

Chaque membre de la communauté dispose d'un petit livret, guide pour une étude quotidienne de la Bible. Sous la direction d'un animateur les groupes se livrent à un partage et à une étude systématique du thème de la semaine. Durant cette heure, les enfants ont été regroupés par classes d'âges. Ils se consacrent également à une étude de la Bible adaptée à chaque tranche d'âge.

A l'issue de cette heure de partage, un moment est accordé au témoignage, à l'expression musicale, et à une courte exhortation à caractère missionnaire. Un rapport de l'action missionnaire mondiale de l'Église est présenté à l'ensemble de la communauté. Puis chacun participe à cet élan par une offrande généreuse.

Ce temps d'étude s'achève enfin par une louange commune et une prière d'actions de grâces.

L'Église en adoration.

Après un moment creux permettant aux enfants de rejoindre leurs parents, la communauté se recueille dans le silence.

Un prélude musical annonce une invocation chantée par toute l'assemblée. Une prière de consécration prononcée par le pasteur ou l'ancien de service, la lecture de la Bible, les chants et le moment consacré aux offrandes précèdent le sermon. Une place importante est laissée au chant et à l'expression musicale. Plusieurs prières sont prononcées par les officiants au cours de la célébration. L'assemblée se disperse après un chant final et une bénédiction prononcée par le pasteur ou l'ancien.

Selon l'importance de la communauté, la liturgie sera plus ou moins complexe. Nous donnons ici la liturgie type proposée par le *Manuel d'Église*, 69-70 :

Prélude d'orgue	Offrande
Entrée de la chorale	Cantique ou chœur
et des officiants	Prédication
Doxologie	Cantique
Invocation	Bénédiction
Lecture de la Bible	L'assemblée se recueille
Cantique	un instant
Prière	Postlude d'orgue

On trouvera ci-après, à titre d'exemple, la liturgie d'une communauté de deux à trois mille membres (Pioneer Memorial Church, Andrews University).

L'Église à l'étude.
Chant de l'assemblée
Cantique d'ouverture de l'assemblée
Prière
Lecture de la Bible
Témoignage
Offrande pour les missions
Prestation musicale
Exposition de besoins particuliers
Prestation musicale
L'assemblée à l'étude par groupes
Bénédiction

L'Église en adoration.
L'assemblée en méditation
Prélude musical
Bienvenue du pasteur

Célébration de la présence de Dieu
Introït
Invitation à l'adoration
Appel Héb 4, 14
Réponse de l'assemblée Héb 4, 16
Hymne de célébration (assemblée)
Prière de confession et d'intercession

Célébration de la proclamation divine
Anthem
Histoire pour les enfants
Paroles d'engagement
Appel Col 3, 1-4, 12
Réponse de l'assemblée Col 3, 14
Hymne de méditation (assemblée)
Sermon

Célébration de notre louange
Dîmes et offrandes
Hymne de louanges par l'assemblée
Doxologie
Bénédiction
Postlude

CÉRÉMONIES PARTICULIÈRES

Une liturgie ad hoc est élaborée pour les temps forts constitués par le service de communion et le baptême. La cérémonie de mariage, les funérailles et la dédicace du lieu de culte suivent les habitudes locales des Églises protestantes.

Service de communion.

A l'occasion de la sainte Cène, le pasteur ou l'ancien présentent à l'assemblée un message de circonstance. Une place est donnée au témoignage de l'assemblée, celle-ci étant appelée à renouveler sa consécration. Les croyants participent ensuite à l'ablution des pieds, les hommes et les femmes séparément. Des cuvettes, des serviettes et de l'eau ont été préparées à l'avance par les diacres et les diaconesses.

Après l'ablution des pieds, les croyants s'assemblent à nouveau pour la Cène. Les emblèmes, du jus de raisin non fermenté et du pain sans levain, ont été placés sur la table avant le culte. Pasteurs et anciens prennent place près de la table. Après le chant d'un cantique, la nappe blanche qui recouvre le pain et le vin est ôtée. L'officiant lit *1 Corinthiens* 11, 23-24 ou un autre passage parallèle tiré des Évangiles. Alors que toute l'assemblée s'incline, la bénédiction de Dieu est demandée, par la prière, sur le pain. Après le partage du pain une autre lecture précède une nouvelle prière de bénédiction sur le vin. Selon les traditions locales une coupe circule alors dans l'assemblée ou un plateau contenant des petits verres préalablement remplis. La cérémonie s'achève par le chant et souvent une offrande pour les pauvres.

Le baptême.

La cérémonie de baptême se déroule dans l'église si elle est pourvue d'un baptistère ou en plein air dans une rivière, dans un lac ou à la mer. La liturgie habituelle est quelque peu abrégée et le sermon orienté vers l'engagement personnel de la foi. La profession de foi des néophytes est reçue par l'assemblée au fur et à mesure que le pasteur ou l'ancien posent des questions aux candidats. Les candidates portent des robes longues blanches en tissus épais, fournies par l'Église locale. Les hommes sont généralement en pantalon sombre et chemise blanche. Les candidats entrent un à un dans le baptistère. Le pasteur prononce sur chacun la formule trinitaire et plonge le néophyte entièrement dans l'eau. Le Saint-Esprit est parfois invoqué sur les baptisés par l'imposition des mains. Ceux-ci sont ensuite accueillis dans l'Église par vote de l'assemblée, et ils reçoivent un livre d'édification avec un certificat de baptême en souvenir de ce jour. La cérémonie s'achève par un chant de louange et une prière d'action de grâces.

AUTRES ASSEMBLÉES

En plus des célébrations du sabbat, le rythme de la vie religieuse adventiste est marqué par d'autres assemblées.

1. Des réunions de prières hebdomadaires, introduites par une méditation de la Bible. Selon les lieux, elles se tiennent le mardi ou le mercredi soir.

2. Des assemblées régionales annuelles réunissent plusieurs Églises pour un sabbat en commun. L'ordre habituel du culte n'est pas changé, mais l'après-midi se poursuit par des méditations spirituelles et la journée s'achève, le plus souvent par un concert donné par les diverses chorales représentées.

3. Des assemblées fédérales réunissent tous les trois ans, toutes les Églises d'une Fédération dans un vaste auditorium. Si ces assemblées ont un caractère fortement administratif, puisqu'il s'agit d'élire les nouveaux responsables des différents bureaux, le sabbat constitue un temps fort de la vie religieuse adventiste.

4. Tous les cinq ans, des Adventistes délégués du monde entier se retrouvent par dizaines de milliers dans une grande ville en vue, certes, de renouveler leurs officiants et de prendre de nouvelles initiatives, mais aussi pour célébrer l'unité de l'Église dans des rencontres spirituelles.

UNE JOURNÉE DE SABBAT

L'observation du sabbat représente pour l'Adventiste une de ses marques distinctives. Nous présentons ici une journée de sabbat vécue idéalement par un Adventiste d'un pays occidental.

Les préparatifs du vendredi.

L'activité fébrile des ménagères, habituelle chez les Chrétiens le samedi après-midi, est vécue par les Adventistes le vendredi. C'est le grand jour du nettoyage, de la mise en ordre, de la préparation des repas en vue de libérer le sabbat de tout ce qui pourrait encombrer la jouissance d'un vécu spirituel, physique et familial. Tout doit être prêt pour le coucher du soleil, heure à laquelle commence le repos du sabbat selon la Bible, et à laquelle toute activité séculière prend fin. Les enfants ont pris leur bain et rangé leurs jouets, les habits sont prêts, les chaussures cirées. La maison, dès l'après-midi, s'emplit de musique douce ou de cantiques spirituels.

Lorsque le soleil est couché, chacun est disponible pour tous. Les uns en profitent pour faire un promenade en famille et admirer les dernières lueurs du jour si le temps le permet. D'autres se retrouvent dans leur salon pour un culte de famille. Lectures de la Bible, chants et prières se succèdent. C'est le moment d'être ensemble sans que plus rien ne presse. Moment de partage, de bilans, de projets. La soirée est vécue dans la détente et la joie. Pas de télévision ni de radio, pas de lectures ou de jeux mondains. Si une réunion est organisée à l'église, toute la famille s'y rend. Sinon, on entame des jeux bibliques. Le repas du soir se prolonge en conversations sur la semaine passée, les problèmes rencontrés, les joies vécues.

C'est un moment particulier de détente pour la mère de famille débarrassée des tâches ménagères et de la cuisine, l'essentiel des repas du lendemain étant prêt à l'avance.

Le sabbat matin.

La matinée de samedi est consacrée tout entière à l'église. Les activités de l'"école du sabbat" commencent vers 9 h du matin et se prolongent jusqu'à 10h 30. Le culte suivra jusque vers midi. La grasse matinée est donc exclue. Une musique spirituelle réveille la famille et contribue à répandre une atmosphère de joie et d'harmonie dans la maison. Un petit déjeuner frugal auquel la maman a ajouté un gâteau de sa fabrication est pris à temps pour que tout le monde arrive à l'heure à la réunion. Sur place, tout est organisé aussi bien pour les bébés et les enfants que pour les adultes, afin que ce temps dans la communauté fraternelle et l'étude de la Bible se déroule dans la joie et la sérénité.

Le repas du sabbat.

Le repas de midi est pris soit en famille, soit en présence d'invités au hasard des rencontres et des amitiés. Il comporte généralement un menu très simple, mais au caractère inhabituel. C'est l'occasion de sortir sa belle vaisselle, d'allumer des chandelles ou tout simplement d'apprécier, à l'issue du repas un dessert préparé pour la circonstance. Les plats préparés la veille sont réchauffés et la vaisselle sera lavée le soir. Si l'on a l'habitude de prononcer une prière d'action de grâces avant le repas, ce jour-là elle sera chantée. Tout est fait pour distinguer ce jour des autres, pour réduire les contingences matérielles afin de partager sa joie et vivre les uns près des autres.

L'après-midi du sabbat.

Trois catégories d'activités peuvent se mettre en place l'après-midi.

1. Des activités organisées à l'église. La famille s'y rend pour écouter un orateur de passage, pour une étude particulière de la Bible portant sur des sujets inhabituels, le plus souvent illustrés pas un film, des diapositives, des diagrammes ; par exemple : le sanctuaire israélite, la structure de l'*Épître aux Romains*, l'éducation des enfants, la cuisine végétarienne. C'est l'heure de la chorale d'église, du concert, de la 'sortie missionnaire' qui consiste à distribuer de porte en porte des brochures, des revues, des invitations à des conférences publiques.

Les jeunes sont parfois associés aux adultes. Sinon, des animateurs les prennent en charge pour une promenade dans la nature ou des jeux d'intérieur. Ils les préparent en vue de l'acquisition de qualifications sanctionnées par des badges : connaissance des arbres, des fleurs, des noeuds de cordes, de l'orientation à la boussole etc.

2. Le second type d'activités porte sur les visites aux malades, aux amis, aux membres isolés. C'est l'occasion d'une sorte de cure d'âme générale où les uns rendant visite aux autres, les édifient, les encouragent, échangent impressions et amitiés.

3. Enfin, le sabbat est par excellence le jour de la famille. Si le temps le permet, on sort ensemble pour une promenade dans un parc, en montagne ou en forêt. Les enfants s'ébattent, les parents discutent. Les parents ont fait provision d'histoires à raconter aux enfants. S'il fait mauvais temps, les enfants sont occupés à la maison à l'aide d'une panoplie de jeux bibliques ou relatifs à la nature. Rien n'est laissé au hasard car tout est programmé pendant la semaine.

Le sabbat s'achève enfin par un culte de famille dont la teneur ressemble à celui du début : chants de louanges, lecture de la Bible, histoire pour les enfants et prière.

Aux étrangers, ce programme paraîtra idyllique pour certains, austère pour d'autres. Tous, il est vrai, ne pratiquent pas ainsi, mais chaque Adventiste, pourtant, y reconnaît un idéal qu'il s'efforce d'atteindre en fonction de sa condition et de ses possibilités, y trouvant à la fois sa joie et le sentiment de sa différence.

COUTUMES ALIMENTAIRES

Les Adventistes sont-ils soumis à un régime de jockey ? Ignorent-ils les plaisirs de la table et de la bonne chère ? A ces questions soulevées parfois avec ironie, les Adventistes répondent par des statistiques et présentent les avantages d'une bonne santé. Ils se font forts de vous prouver que le discours médical et les progrès de la science diététique leur donnent raison. Bien plus, ils se sentent confortés dans leur choix, ayant, grâce aux conseils d'Ellen G. White, devancé bien souvent les applications médicales dans le domaine de l'hygiène et de l'alimentation.

Il est vrai que les Adventistes prônent le régime végétarien et l'abstinence de l'alcool, du tabac, du thé, du café et des drogues qui tous créent un état de dépendance. Mais leur programme ne s'arrête pas là. Appliquant le principe de l'apôtre Paul : "Soit que vous mangiez, soit que vous buviez, soit que vous fassiez quelque autre chose, faites tout pour la gloire de Dieu" (1 Corinthiens 10, 31), ils s'efforcent de mener une vie saine, équilibrée, pour être à même de servir Dieu et leur prochain. Le fait est qu'ils en retirent les dividendes.

Une étude publiée en 1975 dans le très officiel Cancer Research, compare une population de cinquante mille Adventistes californiens, abstinents et végétariens, à cinquante mille autres Californiens, non-adventistes et non-abstinents. Il en ressort que les Adventistes connaissent un état de santé 55 % plus élevé que la population en général. L'affinement de l'analyse souligne que ce gain est dû à l'abstinence de tabac, d'alcool, de thé et de café, et aussi à un mode de vie plus sain. (R.L. Phillips, *Role of life-style and dietary habits in risk of cancer among Seventh-day Adventists*, Cancer Research 35, 1975, 3513-3522).

Une thèse de doctorat en médecine, soutenue à la Faculté de médecine de Montpellier, aboutit à des conclusions similaires, après l'étude d'une population de cent Adventistes français (E. Piquard-Badina, 1978).

MORTALITÉ DES ADVENTISTES DU SEPTIÈME JOUR CALIFORNIENS
(comparée avec la mortalité des Californiens non-adventistes)
Causes de décès en rapport avec l'usage du tabac

Cancer des poumons — 20% ★

Cancer de la bouche, de la gorge et du larynx — 5%

Bronchite et emphysème — 32%

Cancer de la vessie — 28%

Causes de décès en rapport avec l'usage de l'alcool

Cancer de l'oesophage — 34%

Cirrhose du foie — 13%

Accidents de la route — 54%

Autres causes de mortalité

Cause	Pourcentage
Cancer du sein	72%
Cancer du tube digestif	65%
Leucémie	62%
Cancer des ovaires	61%
Cancer de l'utérus	54%
Autres formes de cancer	66%
Affections des vaisseaux coronaires	55%
Autres affections cardiaques	65%
Infarctus	53%
Diabète	55%
Ulcère de l'estomac et intestins	42%
Suicide	31%

★ *100% = mortalité des Californiens non-adventistes*

Les infirmières diplômées de Southern California University sont sujettes à trois fois plus de cancer du sein que les infirmières adventistes de Loma Linda University, dont le régime alimentaire est essentiellement végétarien.

Aujourd'hui, cancérologues et responsables de la santé publique avertissent la population sur les effets nocifs du tabac, de l'alcool, de l'abus de la viande, des aliments raffinés et du sucre.

Il serait pour le moins surprenant qu'une Église, soucieuse du bien-être, du développement, du bonheur de ses membres, n'en vienne à attirer leur attention, comme le font les Adventistes, sur la responsabilité du croyant vis-à-vis de son corps et de sa santé, et ne les engage à prendre en compte les implications des découvertes médicales.

Et, comme une bonne nouvelle ne peut qu'être partagée, cela implique pour les Adventistes un vaste programme d'information et de formation : plans de cinq jours (désintoxication tabagique) ; cours de cuisine équilibrée et végétarienne ; Atout 4 (plan de libération de la dépendance alcoolique) ; restaurants végétariens ; cliniques, maisons de repos, centres de jeunesse, etc.

On a reproché aux Adventistes de vouloir faire de l'alimentation une question de salut. Il est vrai que certains extrémistes ont, ici ou là, développé un discours au couleurs fanatiques. Mais tel n'est pas l'enseignement de l'Église. S'il y a parmi des Adventistes d'authentiques végétariens, nombreux sont ceux qui pratiquent encore un régime carné ou partiellement carné. La seule restriction qu'apportent ces derniers, c'est le respect de la distinction entre viandes pures et impures telle que la donne le livre du *Lévitique*, au chapitre 11. Ils voient dans cet énoncé une sauvegarde élémentaire pour le croyant qui veut réduire au maximum les risques d'une contamination alimentaire. Ces règles d'hygiène s'imposent à lui comme un impératif de cohérence vis à vis de son engagement total au service de Christ.

Profil sociologique

INTRODUCTION

Une estimation de la répartition et des activités de l'Église adventiste dans le monde est relativement aisée à établir. En effet, son organisation de forme fédérative ou presbytérienne lui permet une centralisation rapide des informations, et la publication annuelle de deux documents précieux à tout chercheur :

1. Le *Statistical report of Seventh-day Adventist Conferences, Missions, and Institutions throughout the World*, Washington D.C., General Conference of Seventh-day Adventists. Ce document de 40 pages fait état, par continent, de tous les mouvements du nombre de membres des diverses fédérations d'Églises, du nombre des employés dans les institutions. Il indique aussi le nombre d'églises, la capacité des lieux de culte, le montant des dîmes et des offrandes, la valeur estimée des propriétés, et l'évolution annuelle de ces données. Des chiffres sûrs, vérifiés en assemblées fédérales.

2. Le *Seventh-day Adventist Yearbook. A Directory of the General Conference, World divisions, Union and local Conferences and Missions, Educational Institutions, Food Companies, Health-Care Institutions, Media Center, Publishing Houses, Periodicals, and Denominational workers*, Hagerstown Maryland, Review and Herald Publishing Association. Cet ouvrage de plus de 1.000 pages fait connaître l'adresse et la fonction de chaque employé de la dénomination. On peut y trouver la date de fondation de chaque institution, de chaque mission ou d'une fédération d'Églises, l'adresse de chaque bureau. On y apprend, par exemple, que la Fédération des Églises Adventistes de Suisse Romande a été fondée en 1884. Son territoire couvre une population de 1.809.690 habitants parmi les quels 1.819 Adventistes sont répartis en 27 Églises. Elle emploie 40 personnes dont 13 pasteurs consacrés. D'autres pages informent sur l'orientation, la périodicité, le prix de vente etc. des 303 périodiques publiés sous les auspices de l'Église, l'adresse de chaque hôpital ou dispensaire, l'adresse de chaque école et les cours offerts avec les noms des professeurs qui les dispensent.

L'Église adventiste n'enregistre comme membres à part entière que les adultes baptisés par immersion ou admis sur profession de foi. Les enfants et les sympathisants font l'objet d'une estimation séparée. L'Église enregistre aussi les apostasies. En effet, un Adventiste baptisé qui a pris ses distances vis-à-vis de l'Église et n'adhère plus à la foi et aux principes professés par les Adventistes est radié des registres de l'Église. Selon les pays, un catéchuménat plus ou moins long (parfois jusqu'à deux ans), précède l'admission dans l'Église.

Nous indiquons ici à titre d'exemple quelques chiffres pour l'Afrique.

En Afrique noire, on comptait 1.270.876 Adventistes fin 1985. A ce chiffre, il faut ajouter 609.900 catéchumènes fréquentant régulièrement la communauté mais non encore considérés comme membres de l'Église. Une bonne moitié des 185.430 jeunes fréquentant les sociétés de jeunesse de l'Église ne sont pas baptisés, et 20.410 personnes ont été radiées des registres de l'Église pendant l'année. Si l'on employait les critères en usage pour compter les membres des Églises pratiquant le baptême des nouveaux-nés, il conviendrait de doubler et parfois de tripler le nombre des Adventistes dans le monde.

Notons enfin que les statistiques venant des pays communistes ne sont pas complètes. Aucun rapport ne parvient d'URSS ou de Chine depuis la seconde guerre mondiale. On estime à 21.000 le nombre des Adventistes en Chine et à 31.000 en URSS. Selon certains voyageurs, ces chiffres sont largement dépassés depuis longtemps compte tenu des rapports venant de pays de l'Est où l'Église peut s'organiser à l'intérieur de cadres stricts. Ainsi l'on compte 4.500 Adventistes en Pologne, 7.700 en Tchécoslovaquie, 12.000 en Allemagne de l'Est et 54.500 en Roumanie.

UNE ÉGLISE MONDIALE

L'Église adventiste est née en Amérique du Nord. Elle s'est organisée à Battle Creek, Michigan, le 23 mai 1863. Depuis cette date, elle n'a cessé de s'accroître et de se répandre dans le monde. Jusqu'au début des années cinquante, la majorité des Adventistes vivaient dans les pays occidentaux. L'explosion démographique du Tiers-monde qui

RÉPARTITION DES ADVENTISTES PAR CONTINENTS

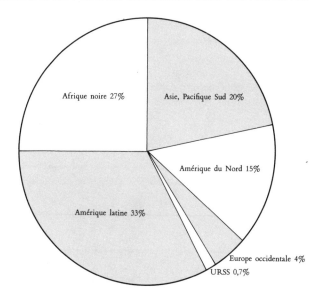

Afrique noire 27%

Asie, Pacifique Sud 20%

Amérique du Nord 15%

Amérique latine 33%

Europe occidentale 4%

URSS 0,7%

commence pendant cette même décennie explique pour une part l'inversion des rapports vers 1970. Aujourd'hui, l'Église adventiste comprend plus de cinq millions de pratiquants dont 15 % seulement résident en Amérique du Nord. Présente dans 84 % des pays du monde, prêchant dans 597 langues et publiant dans 175 d'entre elles, l'Église adventiste est aujourd'hui une Église mondiale.

Les Adventistes se répartissent depuis 1985 de la manière suivante :

Amérique latine	1.587.379	soit 33 %
Afrique noire	1.270.876	soit 27 %
Asie et Océanie	939.450	soit 20 %
Amérique du Nord	689.507	soit 15 %
Europe	198.342	soit 4 %
URSS	31.305	soit 0,7 %
Soit un total de	4.716.859	Adventistes

TAUX DE CROISSANCE 1983-1985

Afrique 8,8%

Amérique centrale et du Sud 6,6%

Asie et Pacifique Sud 5,9%

Amérique du Nord 2,1%

Europe 0,7%

0　1　2　3　4　5　6　7　8　9　10

ÉGLISE ADVENTISTE: croissance mondiale 6,3%

Le recul très net du continent d'origine et des pays occidentaux, où l'Église s'était tout d'abord développée, est encore accentué si l'on tient compte du taux de croissance annuel.

Dans ce domaine, l'Afrique détient la palme avec 8,8 % de croissance en 1983-1985. L'Amérique centrale et l'Amérique du Sud suivent avec un taux de 6,6 %. L'Asie du Sud n'est pas loin avec 5,9 %. Mais les USA et le Canada décrochent avec un taux de 2,1 %.

L'Europe ne progresse que de 0,7 % par an. Rien d'étonnant si à la question du cardinal autrichien Franz König : "Où est l'avenir de l'Église ?" le Pape Jean-Paul II ait répondu : "En Afrique, en Amérique du Sud et en Inde" (*Newsweek*, 20 octobre 1986, 64). L'Église adventiste participe à la fois à la régression du sentiment religieux en Europe, et aux grandes aspirations spirituelles provoquées dans l'hémisphère sud par la déstabilisation et les crises économiques, politiques et sociales de toutes sortes.

Depuis le début du siècle, l'Église adventiste a envoyé 17.584 missionnaires dans le monde. Fait nouveau : depuis un certain nombre d'années, le pourcentage de missionnaires partant du Tiers-monde augmente rapidement. L'axe Nord-Sud se brise en faveur d'une diversification plus grande. L'Afrique reçoit des missionnaires venant d'Amérique du Sud, du Pérou ou des Philippines. Les ressources en forces humaines et spirituelles sont d'autant multipliées. Ainsi les 34 participants réunis en août 1986 à l'Institut européen des missions de Newbold College en Angleterre, tous partant pour des champs missionnaires, venaient de 14 pays différents et parlaient 41 langues ou dialectes (*Revue Adventiste*, décembre 1986). Au cours des cinq dernières années 1.491 missionnaires ont quitté leur pays pour servir dans une contrée éloignée.

UNE ÉGLISE JEUNE

L'Église adventiste est une Église de jeunes. Sa moyenne d'âge ne dépasse pas les 25 ans. Un département de jeunesse bien structuré sur le modèle du scoutisme mais avec un accent religieux plus marqué coordonne 29.932 sociétés de jeunesse et rassemble 1.640.900 enfants de 8 à 18 ans.

Pendant l'été 1985 les fédérations adventistes de France, de Suisse et de Belgique ont réuni 542 enfants dans des colonies de vacances et des camps agréés par le Ministère de la jeunesse et des sports, avec 100 animateurs diplômés et 46 personnes de service. Un rallye international a rassemblé pour quelques jours 600 adolescents de familles adventistes venus d'Allemagne, d'Autriche, d'Italie, d'Espagne, etc.

Au printemps de la même année plus de mille jeunes de 18 à 22 ans, et fréquentant les sociétés de jeunesse adventistes, se sont réunis à La Rochelle pour un week-end de partage. A cette occasion 450 d'entre eux ont demandé à être préparés par l'étude de la Bible à l'engagement du baptême.

Cette force de la jeunesse est sensible dans le dynamisme de l'Église. De 3,3% dans les années 1940-50, le taux global de croissance de l'Église adventiste est passé à 6,7% pour la première moitié de 1985. Il a fallu 95 ans pour atteindre le premier million de membres, 15 ans pour le second, 8 ans pour le troisième et 5 ans pour le quatrième. Environ 3 ans suffiront pour atteindre le cinquième million de membres. Les séminaires, les facultés adventistes ne désemplissent pas. Dans la seule année 1985, 549.467 enfants ont fréquenté les écoles primaires adventistes. Dans les écoles secondaires on en a dénombré 128.666. Les écoles supérieures et les universités ont enregistré 37.391 étudiants.

Mais le nombre n'est pas toujours nécessaire pour exercer un impact. En Italie, une poignée de jeunes adventistes ont recueilli 65.000 signatures pour faire passer une motion au Parlement italien contre la publicité et la vente des boissons alcoolisées sur les autoroutes. L'avenir de l'Église adventiste est assuré par la force même et le dynamisme tous azimuts des jeunes qui la fréquentent.

Les jeunes de l'Église font l'objet d'un soin particulier. Tout d'abord le sabbat matin, lorsque pour l'étude de la Bible, ils se répartissent en classes d'âge, depuis la petite enfance. Les plus petits, à l'aide de flanellographes, plateaux de sable et chansons, apprennent les grandes lignes de l'histoire biblique et en tirent les leçons spirituelles. Les plus grands débattent autour de thèmes bibliques ou éthiques sous la conduite d'un animateur. Occasionnellement, un culte spécial est organisé pour les enfants. Lors du culte habituel avec les adultes, il n'est pas rare qu'un temps leur soit accordé pour une histoire ou une expérience spécifique. Les enfants apportent aussi leur contribution au déroulement du culte.

L'après-midi ou le dimanche, dès l'âge de l'école primaire, une activité de plein air est proposée aux jeunes. Organisés en tisons (7-11 ans) explorateurs (12-16 ans) et compagnons (17-22/24 ans) ils se

ÉVOLUTION DU TAUX DE CROISSANCE GLOBAL
DE L'ÉGLISE ADVENTISTE

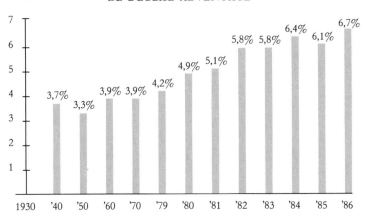

CROISSANCE DU NOMBRE DES MEMBRES
DE L'ÉGLISE ADVENTISTE

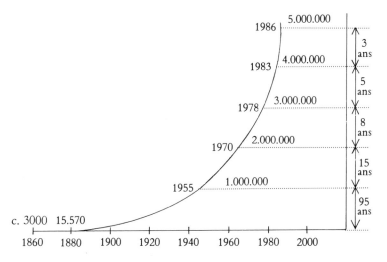

livrent à des activités propres à leur âge : découverte de la nature, apprentissage manuel, visites des musées, interviews d'adultes, etc.

Des rencontres réunissent les divers clubs par région, par pays ou continent sur des thèmes divers. A Bourges, au printemps 1984, 750 jeunes francophones chantent leur amitié. La même année un congrès panaméricain réunit à Mexico 5.500 jeunes Adventistes. Un congrès européen de la jeunesse adventiste a rassemblé lui aussi en 1984 2.000 jeunes. Venus d'Europe occidentale, de Pologne, de Tchécoslovaquie, d'Allemagne de l'Est et de l'Ouest, ils ont répondu au défi des nationalismes et de la méfiance, par les liens de la fraternité. "Nous sommes l'Irlande unie" se sont exclamés les quinze délégués de l'Irlande du Nord et du Sud.

UNE ÉGLISE DE CONFESSANTS

En présence de statistiques aussi dynamiques et de rapports de croissance si positifs, on peut se demander comment les Adventistes peuvent faire pour recruter des adeptes. Par quels procédés arrivent-ils à se faire connaître et à diffuser leur enseignement ?

A vrai dire, les Adventistes n'ont rien inventé. On retrouve chez eux des méthodes propres à tous les mouvements évangéliques. Relevons-les, cependant, pour mémoire.

Le témoignage chrétien.

Plus de 80% des Adventistes le sont devenus à la suite de rencontres avec des amis ou parce qu'ils ont de la parenté adventiste. Le partage de l'enthousiasme, l'enseignement de la Bible, l'invitation à participer à l'une ou l'autre activité de l'Église ont amorcé une réflexion et débouché sur un engagement.

Le mouvement moderne lancé par Mac Gavran, du Fuller Missionary College (Pasadena, Californie), intitulé Mouvement pour la Croissance de l'Église, a depuis longtemps fait intuitivement ses preuves au sein de l'Église adventiste. Chaque chrétien est invité à mettre ses dons au service de l'Église et de son prochain, afin de partager sa foi et de faire connaître Jésus-Christ.

Ce témoignage chrétien s'exerce aussi dans le cadre des diverses institutions de l'Église.

1. Les oeuvres de charité. Si les secours apportés aux détresses sont désintéressés, ils n'en sont pas moins une occasion de s'approcher de celles-ci et de faire naître une espérance, d'éveiller à une foi nouvelle, d'apporter un message de salut.

2. Les activités de jeunesse. Vivre intensément avec les jeunes, c'est aussi partager un idéal, éveiller à la foi, engager un avenir. L'important est d'être présent et d'avoir quelque chose à dire.

3. Les activités d'Église. Les groupes d'étude biblique que représentent les 'écoles du sabbat' permettent à chacun de s'exprimer, offrent aux visiteurs l'occasion d'intervenir dans le débat et préservent du sentiment d'embrigadement. Cette ouverture n'est pas l'un des moindres attraits de la communauté adventiste.

Les multiples activités de l'Église offrent aussi aux 'intéressés' ou amis une possibilité d'engagement neutre et forment le point de départ d'un approfondissement, puis d'un choix définitif pour l'Église.

L'engagement chrétien.

Nous avons signalé plus haut les institutions médicales, diététiques, les maisons d'édition. Toutes sont l'occasion d'une présence dans le monde et facilitent le partage de la foi : celle de l'infirmière auprès du malade, celle du commerçant ou du restaurateur auprès de ses clients, celle du professeur auprès de ses élèves ou de l'étudiant auprès de ses camarades, celle du simple croyant qui offre au hasard des rencontres, qui une Bible, qui un traité, qui un livre adventiste.

Ce zèle missionnaire est régulièrement entretenu par des rapports, des séminaires de formation, des suggestions d'approches.

L'action missionnaire

Le langage adventiste pour désigner les ecclésiatiques a lentement évolué. D'évangélistes, ils ont été appelés prédicateurs, et maintenant pasteurs. Cet 'aggiornamento' n'a cependant, fondamentalement rien changé dans la vocation du pasteur. S'il conserve encore une part de la cure d'âme, elle est pour l'essentiel confiée aux 'anciens', membres laïcs responsables des Églises locales. La première tâche du pasteur adventiste est d'annoncer l'évangile et de s'engager dans une action de propagande.

Toujours partagé entre les besoins de sa communauté et sa vocation missionnaire, le pasteur mettra en oeuvre, selon ses qualités propres, divers instruments de propagande de la panoplie adventiste.

1. Les conférences publiques. Annoncées à grands efforts de publicité, elles visent à présenter la Bible au grand public. On annoncera des conférences 'Bible en main', 'Bible et Archéologie', des séminaires sur les livres de *Daniel* ou de l'*Apocalypse*.

2. Les émissions de radio. Partout où cela est possible, les Adventistes s'expriment à la radio ou à la télévision pour faire connaître leur foi et être présents dans le monde. Aujourd'hui, plus de 410 studios adventistes de télévision présentent en 42 langues et 72 pays un programme télévisé hebdomadaire. En France, par exemple, depuis que la liberté a été accordée à la création de radios locales, ils ont pris entièrement en charge 11 radios et collaborent aux émissions de 18 radios non adventistes. Occasionnellement, ils apparaissent sur FR3 ou Antenne 2. Ils sont présents dans les émissions à débat type 'Agora' quand les thèmes touchent à l'éthique.

3. Les groupes d'études bibliques. Un pasteur adventiste sera toujours disponible si vous lui demandez d'étudier la Bible avec lui. Il se déplacera à votre domicile et répondra à vos attentes en préparant consciencieusement des entretiens à Bible ouverte. Ces études regroupent parfois des amis dans un quartier et si elles ne sont pas conduites par le pasteur, elles sont prises en charge par un membre de la communauté.

A tous ces modèles classiques s'ajoutent toutes les initiatives privées : stands dans les foires, bibliothèques de prêts, abonnements gratuits, distribution sur la place publique, visites dans les prisons, expression chorale ou musicale, retraites, cours de cuisine végétarienne, aide aux fumeurs, aux drogués, aux alcooliques, centres de rencontres du troisième âge, cours de secourisme, séminaires sur la famille, sur les problèmes de l'éducation des enfants, cours de poterie, etc.

Les Adventistes sont eux-mêmes surpris par le nombre d'activités qu'ils exercent alors qu'ils ne constituent qu'un nombre relativement restreint de familles. Omniprésents, ils sont parfois obligés d'essuyer des défaites pour avoir voulu trop entreprendre. Mais ils ressentent comme un sentiment de culpabiblité lorsqu'ils apprennent que d'autres font mieux qu'eux.

A vrai dire cet engagement n'est le fait, bien souvent, que d'une minorité. Nombreux sont ceux qui se contentent de vivre passivement et agréablement dans le cadre des institutions mises en place par quelques-uns.

COUTUMES

Le caractère universel et relativement jeune de l'Église adventiste ne permet pas de reconnaître des coutumes propres à l'Église. Un Adventiste se sent acueilli dans son Église dans le monde entier comme membre d'une même fraternité spirituelle. Il peut étudier avec ses 'frères' et 'soeurs' (c'est ainsi qu'ils s'appellent entre eux) le même sujet de l'"école du sabbat' grâce à son 'questionnaire' traduit en une centaine de langues. Il devra tout de même s'adapter aux coutumes locales.

Dans tel pays, il sera invité à partager le repas dans une famille, dans un autre il participera à un 'pot luck' sorte de pique nique dont quelques croyants ont pris la charge pour ce jour-là. Les liturgies du sabbat sont variées et les activités du jour des plus diverses. Le problème se pose différemment à Paris, où trois mille Adventistes sont noyés dans seize millions d'habitants, que sur l'île de Pitcairn où les révoltés du Bounty trouvèrent autrefois refuge : sur ses 55 habitants, 47 sont Adventistes.

Mis à part ces nuances nationales ou régionales, qui peuvent connaître des adaptations personnelles, une certaine unité de vues existe quant au vécu, en particulier le jour du sabbat.

Nous avons indiqué plus haut quelques recommandations du *Manuel d'Église* sur le vêtement, la nourriture, les récréations, les lectures. Elles relèvent pour l'essentiel de la morale piétiste et se retrouvent dans bien d'autres communautés évangéliques.

Organisation

INSTITUTIONS

L'Église adventiste est organisée selon un système fédératif appelé aussi presbytérien. Le gouvernement de l'Église est partagé entre les membres de l'Église locale et une assemblée formée de représentants de diverses Églises.

Ainsi, chez les Adventistes du septième jour, l'organisation mondiale de l'Église comporte, à partir de la base, cinq niveaux différents :

1. L'Église locale. Organisée démocratiquement, elle réunit en un seul corps, un certain nombre de croyants.

2. La Fédération ou Mission. Fondée à l'occasion d'une assemblée d'Églises, elle regroupe les Églises d'un territoire donné.

3. L'Union. Celle-ci coordonne le travail des Fédérations.

4. La Division. Elle regroupe les Unions d'un vaste territoire. On l'appelle ainsi parce qu'elle constitue une section de la Conférence générale.

5. La Conférence générale. Bureau central de la dénomination, elle représente l'Église dans sa dimension mondiale et coordonne les activités au sein des Divisions.

Un mouvement incessant de bas en haut et de haut en bas, maintient les Adventistes dans un système centraliste et démocratique, fondé sur la solidarité. En 1985 l'espace mondial était organisé en 11 Divisions, 84 Unions, 410 Fédérations et Missions et 25.547 Églises.

Le gouvernement de l'Église est partagé entre les membres de l'Église locale et les responsables élus aux différents niveaux administratifs.

Chaque membre de l'Église dispose d'une voix dans le choix des membres dirigeants. Des délégués, élus démocratiquement au prorata du nombre de membres de chaque Église, élisent à main levée lors d'assemblées régulières (tous les trois ans pour les Fédérations, tous les cinq ans pour les Unions et Divisions de la Conférence générale),

STRUCTURE DE L'ÉGLISE ADVENTISTE

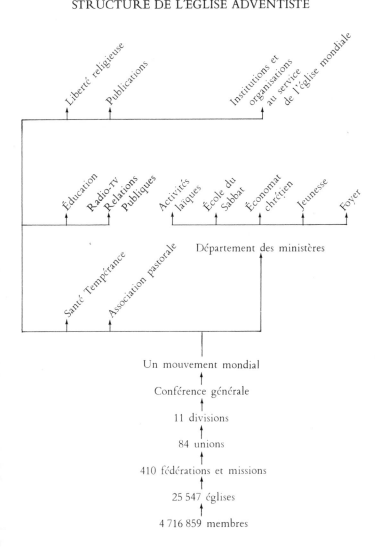

Liberté religieuse   Publications   Institutions et organisations au service de l'église mondiale

Éducation   Radio-TV   Relations Publiques   Activités laïques   École du Sabbat   Économat chrétien   Jeunesse   Foyer

Santé Tempérance   Association pastorale   Département des ministères

Un mouvement mondial

↑

Conférence générale

↑

11 divisions

↑

84 unions

↑

410 fédérations et missions

↑

25 547 églises

↑

4 716 859 membres

les responsables des organismes supérieurs. Ainsi chaque membre, directement ou par ses représentants dispose d'une voix pour élire les hommes qui assumeront les principales responsabilités de l'Église. Toutes les fonctions ne sont occupées que pour une durée déterminée. A chaque assemblée tous les postes sont reconsidérés et une commission élue décide ou non de renouveler les lettres de créance des pasteurs et employés payés par la dénomination.

En cas de divergence survenant au sein d'une organisation ou d'une institution, il peut être fait appel à l'organisation supérieure, et si besoin, de celle-ci à la suivante jusqu'à ce que le recours parvienne à la Conférence générale. Si une décision a des implications pour plusieurs Divisions, elle sera prise par les représentants des diverses Divisions réunis deux fois par an en sessions plénières. Enfin, si la question posée concerne le champ mondial, elle sera prise en compte par l'assemblée de la Conférence générale qui réunit tous les cinq ans plusieurs milliers de délégués du monde entier.

Chaque Fédération, Union, Division est administrée par un comité dont le président est chargé d'en faire exécuter les décisions. Lui seul est investi de pouvoirs administratifs. Les autres responsables des diverses activités de l'Église exercent une fonction d'ordre purement consultatif. Elle consiste à promouvoir dans le territoire dont ils ont la charge, les missions particulières qui leur ont été confiées. Tous rendent compte, ainsi que le président, au comité de Fédération, composé pour une part de pasteurs et pour une autre de laïcs. Ils préparent aussi un rapport de leurs activités pour les assemblées plénières.

SECTEURS D'ACTIVITÉ

Depuis l'Église locale jusqu'à la Conférence générale, des sections d'activités sont mises en place afin de promouvoir la vie de la communauté, de répondre à ses besoins, et de mobiliser ses forces vives.

Chaque année, les Églises désignent par vote à main levée les responsables de leurs divers départements d'activité. Une commission élue est chargée de pressentir les futurs candidats et d'en établir la liste. Cette liste est lue à l'assemblée et, après une semaine de réflexion, laissant à chacun le loisir de remarques éventuelles, elle est votée à main levée. L'élection ne sera valable que pour un an.

Les postes à pourvoir pour une grande Église sont les suivants : l'ancien ou les anciens ; le ou les diacres ; la ou les diaconesses ; le secrétaire chargé du registre de l'Église ; le trésorier de l'Église ; le directeur musical, l'organiste ; le directeur des activités missionnaires et ses adjoints ; le directeur de l'école du sabbat et ses adjoints ; les responsables des sections enfantines de l'école du sabbat ; le directeur des écoles bibliques de vacances ; le directeur de la société foyer-écoles et son comité, si l'Église administre une école primaire ou secondaire ; la directrice de la société Dorcas et ses adjointes, chargées des missions de secours ; les divers responsables des activités de jeunesse ; le responsable des problèmes de liberté religieuse ; le responsable de la promotion de la tempérance, de l'hygiène et de la santé ; le responsable ou le comité chargé des communications et des relations publiques ; le responsable chargé de coordonner les activités relevant du domaine médical ; le secrétaire de l'économat chrétien chargé d'instruire l'Église et d'aider les croyants à administrer leur temps, leurs talents et leurs biens. Enfin, sera aussi désigné le conseil d'Église dont les réunions régulières permettront de coordonner les diverses activités, d'autoriser les dépenses, et de prendre toute décision qui s'impose. Le pasteur n'est pas élu mais désigné par la Fédération.

Tous les trois mois, une réunion administrative réunit la communauté. Chaque directeur de département y présente son rapport. Le bilan financier est alors voté. Sur proposition du conseil, des votes de censure ou de radiation sont pris pour prendre en compte l'abandon de l'Église ou l'inconduite de certains.

L'organisation mondiale est elle-même répartie en un certain nombre de secteurs d'activités afin de promouvoir, à tous les niveaux, des recherches, des expériences nouvelles, de faire circuler les informations et de partager le fruit des activités conduites sous toutes les latitudes.

Cette structure n'est pas fixe. Elle est régulièrement reconsidérée pour l'adapter aux nécessités du moment. Ainsi, par exemple, le département du foyer a été créé après une prise de conscience des difficultés rencontrées par les couples dans l'éducation de leurs enfants et pour faire front aux drames du divorce. Pour ne pas alourdir la structure, le département de l'éducation sanitaire et celui de la tempérance ont fusionné. En 1985, afin de coordonner l'essentiel des activités d'Église, un département des ministères a été mis en place. Ces structures ont l'avantage de promouvoir des responsabilités diverses tout en s'adaptant aux nécessités du moment.

FINANCES

Pour un Adventiste, tout Chrétien est un économe de Dieu, fidèle dispensateur des biens que Dieu lui a confié (*1 Corinthiens* 4, 2). Son temps, son influence, son service et bien entendu ses ressources financières seront gérées par lui en vue des progrès de l'oeuvre de Dieu dans ce monde et en particulier de l'Église adventiste.

En principe, chaque Adventiste donne volontairement à son Église la dîme de tous ses revenus, soit 600 francs sur un salaire de 6.000 francs ou 100 francs d'une allocation de 1.000 francs. En pratique, seuls la moitié des Adventistes sont fidèles dans ce domaine. Ils n'en ont pas moins donné en 1985 la somme de 452.475.435 dollars de dîme. Mais ils ne s'arrêtent pas là et apportent en plus de généreuses offrandes dont le montant s'est élevé à 272.400.432 dollars dans la même année.

La dîme est uniquement employée pour la prédication de l'Évangile ou l'enseignement de la théologie. Toutes les autres dépenses sont couvertes par les offrandes.

Un trésorier d'Église élu par la communauté locale gère ces fonds. Les dîmes sont envoyées à la Fédération, les autres offrandes se partagent entre l'Église locale et l'Église mondiale. Le trésorier de la Fédération vérifie régulièrement la comptabilité tenue par les trésoriers d'Église. Il est lui-même contrôlé par des vérificateurs aux comptes élus parmi les laïcs lors des assemblées de Fédération.

La Fédération emploie ses dîmes pour payer ses pasteurs. Elle-même verse la dîme des dîmes reçues à l'Union qui en fait autant à l'égard de la Division. Des conseils annuels équilibrent les comptes en cas de déficit d'un organisme.

Dans une Union donnée, tous les employés sont salariés à partir d'une même base. Un débutant recevra 80 % environ de celle-ci. Cela varie s'il a des enfants ou non. Au bout de quelques années de service, il est consacré pasteur et reçoit alors 100 % du salaire plafond. Quelle que soit son affectation future, grande ou petite Église, responsable de district ou professeur, quelle que soit aussi sont ancienneté, il demeurera à ce 100 % qui se situe en France actuellement autour de 6.500 francs français par mois de salaire brut. Quelques pourcentages de plus sont accordés à titre d'indemnité à ceux qui exercent des fonctions plus importantes. Un président de Fédération perçoit 107 % pendant l'exercice de son mandat, un médecin 115 %, une secrétaire 80 à 90 % selon ses responsabilités.

Chaque pays établit ainsi sa base salariale qui se situe généralement au niveau d'un ouvrier spécialisé. Si les recettes augmentent, elles permettent l'emploi d'un plus grand nombre, si elles diminuent, les effectifs sont réduits, à moins d'une aide d'une Fédération voisine ou de l'Union.

Lorsqu'une Union ou une Division dispose d'un budget bénéficiaire, elle redistribue en assemblée administrative les fonds en excédent aux Fédérations ou Unions ou Institutions en difficulté. Ce système égalitaire a fait ses preuves dans le monde entier.

Le développement de l'Église adventiste ne se fait pas sans tensions ni remises en question. L'Église a développé des institutions : écoles, hôpitaux, dispensaires, industries alimentaires. Si ces institutions constituent une force d'implantation, elles pèsent lourd sur les finances globales de l'Église.

En 1930, l'Église administrait 2.768 bâtiments. Quarante-cinq ans plus tard, elle avait à charge 25.810 propriétés, soit près de dix fois plus. En France, une église est ouverte environ tous les deux ans. Les dépenses d'entretien s'ajoutent à celles de la construction. Certes, les institutions donnent à l'Église pignon sur rue et lui assurent une présence au sein de la société. Mais l'argent disponible pour l'expansion en terre de mission en est d'autant réduit. Si en 1950, la

RÉPARTITION DE LA CHARGE SALARIALE   TOTAL: 109.682

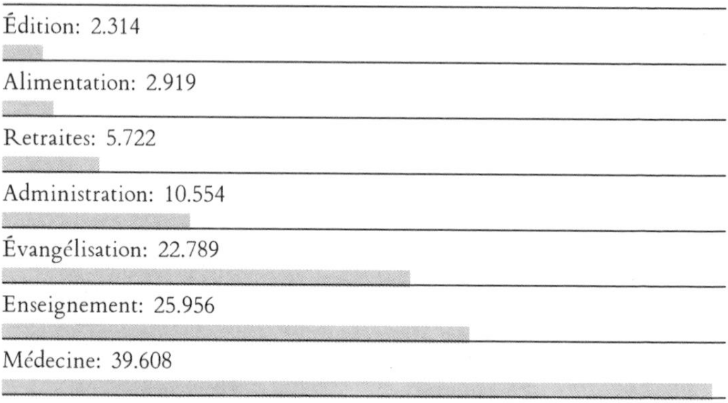

Édition: 2.314

Alimentation: 2.919

Retraites: 5.722

Administration: 10.554

Évangélisation: 22.789

Enseignement: 25.956

Médecine: 39.608

part des fonds envoyés en mission par les Églises américaines représentait 131 % des fonds utilisés localement, en 1960 elle ne représentait plus que 71,8 %, en 1970, 42,7 %, en 1980, 31,9 % et en 1985 seulement 23,2 %.

On peut expliquer cette tendance par le seul effort de construction : une Église qui s'installe accroît ses besoins. On en mesure déjà les effets sur le plan mondial. Les dîmes et les offrandes servant à alimenter les fonds propres aux Églises et aux fédérations d'Églises, ont doublé en dix ans. Les offrandes pour l'expansion dans les champs missionnaires, par contre, n'ont augmenté que de 39,4% dans la même période. Cela signifie que l'Église adventiste devra se gérer dans l'avenir sur la base de l'autonomie financière. En terme de missiologie, contrairement à ce que l'on pourrait croire, on peut s'attendre à ce que l'autofinancement des Églises du Tiers-monde, contribue à une gestion plus rigoureuse et à l'accroissement du zèle missionnaire, en développant la responsabilisation, la maturité, et l'indépendance administrative.

L'expérience s'est déjà montrée concluante dans le domaine de l'édition. En effet, l'édition adventiste salarie 2.134 employés dans le monde. Mais 6.829 vendeurs répandent la littérature adventiste en vivant du seul revenu de la vente. La charge institutionnelle est ainsi réduite et l'engagement personnel multiplié par trois. On peut s'attendre à un développement semblable dans les champs missionnaires. C'est ce que semble démontrer l'augmentation de la croissance de l'Église qui est inversément porportionnelle à la baisse de l'appui financier.

Actuellement, la charge salariale de l'Église adventiste se répartit de la manière suivante : 38 % dans l'oeuvre médicale ; 25 % dans l'enseignement ; 22 % dans l'évangélisation ; 10 % dans l'administration ; 3 % dans l'industrie alimentaire et 2 % dans l'édition. Certes, tous les domaines d'activité contribuent, à leur manière, à faire connaître et à répandre le message adventiste ; mais l'Église progresse davantage où les structures institutionnelles sont les plus légères. D'où, actuellement, des regroupements, des fermetures, chaque fois qu'une institution au caractère peu vital ne suffit pas elle-même à ses propres ressources.

L'initiative privée est aussi encouragée. Des laïcs prennent en charge des départements d'activités de l'Église. Des administrateurs se voient investis de responsabiblités à plusieurs niveaux : Fédération et Union par exemple. Ceci dans le but toujours recherché de faciliter la croissance de l'Église et de garder les ressources disponibles pour l'évangélisation directe.

OEUVRE CARITATIVE

L'aspect institutionnel de l'Église adventiste est déjà en soi une référence à son ouverture aux besoins du monde. Nous avons parlé des écoles. Elles scolarisent 716.877 enfants et jeunes dans le monde.

Dans ses hôpitaux, cliniques, dispensaires, les Adventistes ont traité, en 1985, 5.828.088 patients. Plus de 660.000 malades ont été admis durant la même année dans leurs 152 hôpitaux offrant 19.000 lits. Trois avions en Afrique noire, sept en Extrême-Orient et trois en Amérique du Sud constituent des unités médicales en service auprès des populations isolées. Mentionnons encore treize bateaux sillonnant les rivières de l'Amazonie pour apporter secours et soins divers aux Indiens qui bordent leurs rives.

En Europe, les Adventistes sont connus pour leur action en faveur de ceux qui veulent être délivrés de la dépendance tabagique. Des 'plans de cinq jours' de désintoxication tabagique ont atteint 123.878 personnes sur le territoire français entre 1974 et 1986. Du 31 août au 4 septembre 1986 s'est tenu à Nice, à l'initiative de l'Église adventiste le Congrès international pour la prévention de l'alcoolisme et des toxicomanies. Plus de 450 participants, venus de 45 pays différents ont pu avec le concours du Haut comité français d'étude et d'information sur l'alcoolisme, faire le point sur la question (*Le Christianisme au vingtième siècle* 81, 15 septembre 1986). Un tout nouveau et très prometteur programme de prévention et de sensibilisation aux problèmes liés à l'alcool a été présenté à cette occasion par un représentant de l'Église adventiste.

Le 1er et le 2 novembre, s'est tenue à Valence la rencontre annuelle d'enseignement post-universitaire de l'AMALF, Association Médico-sociale adventiste de Langue Française. Plus de 150 médecins, infirmiers, psychologues Adventistes ont posé le problème de la thérapie des homosexuels au professeur R. Pouget de la Faculté de médecine de l'Université de Montpellier, et à Daniel Roberts, thérapeute américain, coordinateur international de l'Homosexuals Anonymous Fellowship Service, association adventiste au service des homosexuels (*Le Christianisme au vingtième siècle* 90, 17 novembre 1986).

Ce fut l'occasion aussi de lancer un projet en faveur du Tiers-monde. Un chirurgien, deux médecins et trois infirmières consacreront leurs vacances d'été à un programme de protection maternelle et infantile ainsi qu'à la formation intensive de personnel local dans un hôpital du Zaïre.

Une association charitable créée au lendemain de la seconde guerre mondiale, portant actuellement le nom de ADRA (Adventist Development and Relief Agency), intervient dans le monde à l'occasion de catastrophes importantes tels que tremblements de terre, inondation, famine. Elle recueille des fonds d'État. De nombreux gouvernements font en effet transiter par l'Église adventiste leur aide aux pays sous-développés. L'Église adventiste, elle-même, a contribué pour 12.600.000 FF à l'alimentation de ce fonds d'aide en 1985. Le travail étant accompli par des bénévoles, plus de 90 % des sommes recueillies arrivent à destination. Le reste est utilisé pour les frais d'administration et de transport.

Presque chaque Église adventiste possède un centre de secours appelé Société Dorcas dont le but est de venir au secours de toute détresse : centre de distribution de vêtements, aide alimentaire, service civil. Ainsi en 1983, 12 tonnes d'alimentation ont été livrées pour la deuxième fois par camion à la Pologne en difficulté grâce à l'action du Secours adventiste. En cas de catastrophe des colis sont rassemblés et expédiés par les soins de l'organisation. Plusieurs 'restaurants du coeur' ont été ouverts au cours de l'hiver 1986. Quant à l'insertion de l'Église adventiste dans le monde, on pourrait encore signaler ses restaurants végétariens, ses librairies religieuses, ses fabriques de produits alimentaires : 28 dans le monde, offrant 1.183 produits manufacturés. Leur chiffre de vente s'est élevé, en 1985, à 178 millions de dollars.

Mais une mention particulière doit être faite de son action en faveur de la liberté religieuse. Son Association internationale pour la défense de la liberté religieuse, accréditée auprès de l'ONU, travaille dans le monde en faveur des libertés. Elle a participé à la rédaction de la Déclaration sur l'élimination de toutes les formes d'intolérance et de discrimination fondées sur la religion ou la conviction, adoptée par l'Assemblée générale du 25 novembre 1981. Elle est bien connue en Europe au travers de sa revue *Conscience et Liberté*, unanimement appréciée. Pour la seconde fois, l'Église adventiste a réuni à Rome en 1984 un congrès mondial de la liberté religieuse. Plus de 400 participants ont écouté les messages de MM. Bettino Craxi, Président du Conseil des ministres de la République italienne, Abdus Salam, prix Nobel de physique, Kurt Herndl, Secrétaire adjoint des Nations Unies, etc. Ce fut l'occasion d'examiner la situation de la liberté religieuse dans le monde.

RELATIONS OECUMÉNIQUES

Commentant l'ouvrage d'A. Woodrow, *Les Nouvelles sectes*, Paris, Seuil, 1977, L. Molet se refuse de suivre l'auteur dans sa classification religieuse, accordant volontiers le titre d'Église aux Adventistes du septième jour (Revue d'histoire et de philosophie religieuses 64, 1984, 198).

Les Adventistes se sont toujours défendus face à l'amalgame dont ils sont souvent l'objet. Se considérant comme un mouvement religieux à l'intérieur de la famille protestante, ils s'efforcent d'entretenir de bonnes relations avec les autres dénominations religieuses.

L'Église adventiste participe à titre d'observateur aux discussions du Conseil oecuménique des Églises et certains de ses représentants collaborent aux travaux de la Commision foi et constitution. Des échanges ne sont pas rares entre théologiens adventistes, protestants et catholiques. D'ailleurs la grande majorité des théologiens adventistes ont obtenu leur titre de docteur dans des facultés protestantes ou même catholiques.

Des Adventistes sont présents dans divers secteurs des départements missionnaires du Conseil des Églises, non en tant que membres, mais au titre de consultants. Depuis plusieurs années déjà le secrétariat général de l'organisation consultative appelée Church World Communion (Communions chrétiennes mondiales), qui réunit chaque année les délégués des Églises membres et non membres du COE, est assuré par un représentant de l'Église adventiste.

L'Église adventiste regarde elle aussi la division du monde chrétien comme un scandale et une cause de faiblesse pour le témoignage chrétien. Elle considère qu'il est du devoir de tous les Chrétiens de s'efforcer "de conserver l'unité de l'esprit par le lien de la paix" (*Éphésiens* 4, 3). Mais pour différentes raisons, elle ne peut devenir membre du Conseil oecuménique des Églises. Les voici brièvement exposées :

1. L'unité d'organisation proposée par le COE ne peut correspondre au voeu final de Jésus : "Que tous soient un" (*Jean* 17, 21). Comme le dit Emil Brunner : "On ne fabrique pas une vraie Ekklesia à

partir de vingt Églises institutions." L'unité ne peut se faire qu'autour de la Parole de Dieu. Or les divisions du COE sont si profondes qu'elles atteignent jusqu'aux conceptions respectives de l'unité (Lukas Vischer) et de la révélation biblique.

2. L'engagement politique du COE n'est un mystère pour personne. Or, l'Église adventiste depuis ses origines a toujours été un ardent partisan et un défenseur du principe de la séparation de l'Église et de l'État. Le mouvement adventiste prétend avoir une vocation prophétique et eschatologique. Par son indépendance, il veut témoigner contre toute structure qui pourrait avoir pour objet de réunir l'Église et l'État, d'organiser le Royaume des cieux dans ce monde par l'établissement d'un ordre social ou politique, indépendamment de la consience individuelle.

3. L'Église adventiste se croit investie d'une mission au caractère universel. Son message transcende toutes les divisions ou particularités religieuses. Sa présence au sein du COE risquerait de porter atteinte à sa vocation missionnaire qui dépasse les frontières religieuses. L'unité pour les Adventistes doit s'exprimer en termes de communication, d'ouverture et d'écoute, de fraternité, alors que nul ne renie ses convictions. C'est pourquoi ils s'efforcent de promouvoir l'unité dans l'amour partout où ils rencontrent des hommes et des femmes de bonne volonté, sans pour autant vouloir passer par le biais d'une organisation, fût-ce le COE.

C'est ainsi qu'ils sont prêts à répondre présents partout où une meilleure compréhension mutuelle est recherchée. On ne sera donc pas surpris, par exemple, de trouver des Adventistes au sein du bureau chargé de préparer des États généraux du protestantisme français.

Pour entrer dans les faits et donner au lecteur un document de base, nous livrons ici un extrait d'un ouvrage intitulé : *Constitutions, bylaws and working policy of the General Conference of Seventh-day Adventists*. Ce volume contient tous les réglements devant présider au fonctionnement des divers départements de l'Église. Voici en quels termes il s'exprime sur les rapports à entretenir avec d'autres organisations religieuses.

"Afin d'éviter toute occasion d'incompréhension ou de friction dans les rapports avec d'autres organisations religieuses, les règles suivantes ont été établies :

1. Nous reconnaissons toute entreprise qui a pour objet d'élever Christ aux yeux des hommes comme faisant partie du plan divin pour l'évangélisation du monde, et nous tenons en haute estime les Chrétiens d'autres communions, hommes et femmes, qui sont engagés à gagner des âmes à Christ.

2. Quand l'entreprise missionnaire nous met en contact avec d'autres sociétés et avec leur travail, l'esprit de courtoisie chrétienne, de franchise et de loyauté devrait en tous temps présider à la solution des problèmes missionnaires.

3. Nous reconnaissons que la vraie religion est fondée sur la conscience et la conviction. En conséquence, il est notre souci constant qu'aucun intérêt égoïste ou avantage temporel ne puisse attirer une personne à notre communion, et qu'aucun lien ne puisse empêcher un des nôtres d'adhérer à une croyance ou une conviction qui lui permette par ce moyen de trouver une relation authentique avec Christ. Quand un changement de conviction conduit un membre de notre communauté à ne plus se trouver en harmonie avec nous dans les domaines de la foi et de la pratique, nous reconnaissons non seulement son droit, mais son devoir de changer d'affiliation religieuse, conformément à sa croyance.

4. Avant d'admettre comme membre de notre Église quiconque est déjà membre d'une autre organisation religieuse, il faudrait prendre soin de s'assurer que le candidat n'est conduit à changer d'affiliation religieuse que par la seule force de sa conviction religieuse et de sa relation personnelle avec Dieu ; quand cela est possible, une consultation devrait avoir lieu avec la mission ou l'Église du candidat.

5. Des personnes, censurées par une autre organisation religieuse pour des fautes clairement établies dans les domaines de la morale et du caractère chrétien, ne devraient pas être considérées comme éligibles à la communion de notre Église, tant qu'elles n'ont pas fait preuve de repentance et de réforme.

6. Les employés et anciens employés d'une autre organisation religieuse ne devraient pas être employés par notre Église, fédération, mission ou institution, sans une consultation préalable de l'autre organisation.

7. En établissant les salaires, le comité local de mission serait sage de tenir compte des salaires versés par d'autres organisations religieuses opérant dans le même territoire.

8. En ce qui concerne les divisions territoriales et les restrictions d'actions dans des régions définies, notre attitude doit être conduite par les considérations suivantes :

Comme dans les générations passées, par la providence de Dieu et le développement historique de son oeuvre pour les hommes, des organisations et des mouvements religieux sont nés pour accentuer particulièrement différentes phases de la vérité de l'évangile. Le mouvement adventiste a pour mission de mettre l'accent sur l'évangile de la seconde venue du Christ comme un événement 'à la porte', nécessitant la proclamation d'un message particulier. Ce message est destiné à préparer le chemin du Seigneur conformément à la révélation des Saintes Écritures.

La proclamation du message adventiste est décrite dans la prophétie biblique, particulièrement en *Apocalypse* 14, 6-14. L'"évangile éternel" doit précéder la venue du Sauveur et être prêché à "toute nation, à toute tribu, à toute langue et à tout peuple." Cet ordre ne nous permet pas de restreindre notre témoignage à une région limitée et il nous impose d'appeler l'attention de tous les hommes à travers le monde entier." Édition 1985-86, 296-297.

ADRESSES ET STATISTIQUES

Conférence générale

General conference of seventh-day Adventists (Conférénce générale des Adventistes du septième jour), 6840 Eastern Avenue NW, Washington, D.C. 20012, USA.

Services.

Adventist development and relief agency international 6840 Eastern Avenue NW, Washington, D.C. 20012, USA. Secours mondial adventiste.

Adventist review, 6840 Eastern Avenue NW, Washington, D.C. 20012, USA. Organe hebdomadaire de communication pour les Églises d'Amérique du Nord.

Adventist world purchasing services, 6930 Carroll Avenue, Takoma Park, Maryland 20912, USA. Bureau pour la coordination d'achats de matériaux.

Auditing service, 6840 Eastern Avenue NW, Washington, D.C. 20012, USA. Service de vérification des comptes.

Biblical research institute, 6840 Eastern Avenue NW, Washington, D.C. 20012, USA. Institut de promotion d'études spécifiques d'ordre théologique.

Risk management services, 6840 Eastern Avenue NW, Washington, D.C. 20012, USA. Services d'assurance des bâtiments doublant les assurances locales.

Geoscience research institute, Loma Linda University, Loma Linda, California 92350, USA. Institut de recherche sur la formation de la terre, les problèmes relatifs à la théorie de l'évolution ou au créationisme.

Home and family service, 6840 Eastern Avenue NW, Washington, D.C. 20012, USA. Service chargé de promouvoir une réflexion sur la famille et l'éducation des enfants.

Office of human relations, 6840 Eastern Avenue NW, Washington, D.C. 20012, USA. Bureau chargé des relations publiques.

Philanthropic service for institutions, 6840 Eastern Avenue NW, Washington, D.C. 20012, USA. Service de coordination de dons spécifiques en faveur d'écoles ou d'hôpitaux.

Plant service, 6840 Eastern Avenue NW, Washington, D.C. 20012, USA. Service de conseils en matière d'architecture.

Transportation service, 6840 Eastern Avenue NW, Washington, D.C. 20012, USA. Service de relations avec les agences de voyages.

White estate, Ellen G. incorporated, 6840 Eastern Avenue NW, Washington, D.C. 20012, USA. Fondation chargée de veiller à l'utilisation, la traduction et la publication des ouvrages d'E.G. White.

Éducation.

Andrews University, Berrien Springs, Michigan 49104, USA.

Home study international, 6940 Carroll Avenue, Takoma Park, Maryland 20912, USA.

Loma Linda University, Loma Linda Campus, Loma Linda, California 92350, USA.

Loma Linda University, La Sierra Campus, Riverside, California 92515, USA.

Oakwood College, Huntsville, Alabama 35896, USA.

Alimentation.

Loma Linda Food, Inc., 11503 Pierce St. Riverside, California 92505, USA.

Santé.

Loma Linda Community Hospital Corporation, 25333 Barton Road, Loma Linda, California 92354, USA.

Loma Linda University Medical Center, Loma Linda, California 92354, USA.

Média.

Seventh-Day Adventist radio, television and film center, 1100 Rancho Conejo Boulevard, Newbury Park, California 91320, USA.

Publication.

Christian record Braille foundation, Inc., 4444 South 52nd Street, Lincoln, Nebraska 68506, USA.

Pacific press publishing association, 1350 North Kings Road, Nampa, Idaho 83651, USA.

Review and herald publishing association, 55 West Oak Ridge Drive, Hagerstown, Maryland 21740, USA.

Division eurafricaine
Siège.

Schosshaldenstrasse 17, 3006 Berne, Suisse.

Territoire.

Afrique du Nord : 3, rue du Sacré Coeur, Alger, Algérie.

Union de l'Allemagne de l'Ouest : Fischerstrasse 19, 3000 Hannover 1, RFA.

Union de l'Allemagne du Sud : Senefelderstrasse 15, Postfach 4260 7302 Ostfildern, RFA.

Union de l'Angola : Rua Teixeira da Silva, Huambo, Angola.

Union Autrichienne : Nussdörferstrasse 5, 1090 Vienne, Autriche.

Union Bulgare : V. Kolarov 10, 1000 Sofia, Bulgarie.

Union Espagnole : Cuevas 23, 28039 Madrid, Espagne.

Union Franco-Belge : 680-684 Avenue de la Libération, 77350 Le Mée sur Seine, France.

Union Italienne : Via Pecciolli 44, A/2 00139 Roma, Italie.

Union du Mozambique : Avenida Maguiguana 300, Maputo, Mozambique.

Union Portugaise : Rua Joaquim Bonifacio 17, 1199 Lisboa, codex, Portugal.

Union de la République Démocratique Allemande : Helmholtzstrasse 1, 1160 Berlin-Oberschoeneweide, RDA.

Union Roumaine : Strada Labirint 116, Bucharest 111, Roumanie.

Union Suisse : Gubelstrasse 23, 8050 Zurich, Suisse.

Union Tchécoslovaquie : Zalesi 50, 142 00 Praha 4-Lhotka, Tchécoslovaquie.

Répartition des croyants adventistes en 1985.

Afrique du Nord	2 églises	31 membres
Allemagne de l'Ouest	175 églises	12.046 membres
Allemagne du Sud	204 églises	13.058 membres
Angola	370 églises	83.191 membres
Autriche	41 églises	2.793 membres
Belgique	31 églises	1.617 membres
Bulgarie	59 églises	3.241 membres
Espagne	51 églises	5.168 membres
France	108 églises	8.153 membres
Italie	87 églises	4.915 membres
Mozambique	401 églises	37.518 membres
Portugal	67 églises	6.409 membres
RDA	288 églises	9.718 membres
Roumanie	526 églises	54.563 membres
Suisse	58 églises	4.077 membres
Tchécoslovaquie	169 églises	7.745 membres
	2.637 églises	254.243 membres

Éducation.

(écoles secondaires et supérieures seulement)

Biblicky Seminar Cirkev, Prague, Tchécoslovaquie.

Colegio Adventista, Sagunto, Espagne.

College Adventiste, Renens/Lausanne, Suisse.

Externato Adventista de Oliveira de Douro, Portugal.

Externato Infanta D. Joana, Lisbonne, Portugal.

Istituto Avventista Villa Aurora, Florence, Italie.

Privat Schule der Advent-Mission, Zurich, Suisse.

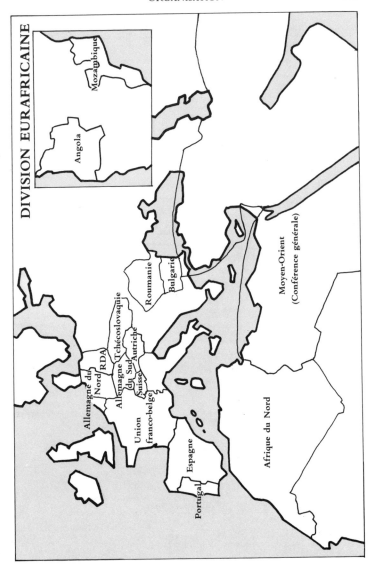

DIVISION EURAFRICAINE

Mozambique

Angola

Roumanie

Bulgarie

Allemagne du Nord

RDA

Tchécoslovaquie

Allemagne du Sud

Autriche

Suisse

Union franco-belge

Moyen-Orient
(Conférence générale)

Espagne

Portugal

Afrique du Nord

Romanian Theological Seminary, Bucharest, Roumanie.
Seminaire Adventiste du Salève, St Julien en Genevois, France.
Seminar Friedensau, Magdeburg, RDA.
Seminar Marienhoehe, Darmstadt, RFA.
Seminar Schloss Bogenhofen, Braunau am Inn, Autriche.
Seminario Adventista do Bongo, Huambo, Angola.
Seminario Adventista do Setimo Dia, Beira, Mozambique.

Alimentation.

De-Vau-Ge. Gesundkostwerk, Luneburg, Rép. Féd. Allemande.
Estakost, Vienne, Autriche.
Granovita, Sagunto, Espagne.
Phag, Fabrique de produits diététiques, Gland, Suisse.
Pur-Aliment, Clichy, France.

Hôpitaux.

Clinique la Lignière, Gland, Suisse.
Hospital Adventista do Bongo, Huambo, Angola.
Krankenhaus Waldfriede, Berlin, RFA.

Maisons de retraite.

Casa de Pensii, Bucharest, Roumanie.
Foyer 'Le Romarin', Clapiers, France.
Friedensau, Magdeburg, RDA.
Heim Oertlimatt, Krattingen, Suisse.
Haus Neandertal, Neandertal, RFA.
Haus Stefanie, Vienne, Autriche.
Haus Steglitz, Berlin, RFA.
Haus Uelzen, Uelzen, RFA.
Haus Wittelsbach, Oberbayern, RFA.
La Marnière, Ittre, Belgique.
Lapi, Salvaterra de Magos, Portugal.
Pension 'Le Flon', Oron-la-ville, Suisse.
Szeretet-Otthon, Tass, Hongrie.

Maisons de repos.

Adventheim, Bâle, Suisse.
Adventhaus, Freudenstradt, RFA.
Bergheim Muehlenrahmede, Westfalen, RFA.

Erholungsheim Frauenwald, Thüringen, RDA.
Erholungsheim Friedesau, Magdeburg, RDA.
Erholungsheim Sonnenhof, Dresden, RDA.
Erholungsheim Waldpork, Karl-Marx-Stadt, RDA.
Maranatha, Barcelone, Espagne.

Publications.

Advent-Verlag, Hamburg, RFA.
Advent-Verlag, Krattigen, Suisse.
Casa Publicadora Angolana, Huambo, Angola.
Editions Hongroises, Budapest, Hongrie.
Editorial Safeliz, Madrid, Espagne.
Editura Curierul Adventist, Bucarest, Roumanie.
L'Araldo Della Verita, Florence, Italie.
Livraria da Igreja Adventista, Maputo, Mozambique.
Publicadora Atlantico, Sacavem, Portugal.
Publikacni Oddeleni, Prague, Tchécoslovaquie.
Stiftung Bliendendienst, Bâle, Suisse.
Veritas-Vlaanderen, Bruxelles, Belgique.
Verlagsabteilung, Berlin, RDA.
Vie et Santé, Dammarie-les-Lys, France.
Wegweiser-Verlag, Vienne, Autriche.

Cours par correspondance.

Afrique du Nord : La Voix de la prophétie, 63, rue du Faubourg Poissonnière, 75009 Paris, France.
Angola : Case postale 611, Huambo.
Autriche : Stimme der Hoffnung, Postfach 66, 1094 Vienne.
Belgique : La Voix de l'espérance/De Stem des Hoop, 11, rue Ernest Allard, 1000 Bruxelles.
Espagne : La Voz de la esperanza, Cuevas 23, 28039 Madrid.
France : Institut d'Étude de la Bible par correspondance (IEBC), B.P. 7, 77350 Le Mée sur Seine.
Italie : La Voce della speranza, Via Trieste 23, 50139 Firenze.
Mozambique : Bible correspondence school, Caisa Postal 1541, Maputo.
Portugal : Voice of hope, Rua Ilha Terceira 3,3', 1000 Lisbonne.
RDA : Friedensauer Bibellehrbriefe, Karl-Heinestrasse 8, 7031 Leipzig.
RFA : Stimme der Hoffnung, Am Elfengrund 66, 6100 Darmstadt 13.
Suisse : La Voix de l'espérance, Case postale 141, 1013 Lausanne.

Stimme der Hoffnung, Posfach 671, 8050 Zurich.

Centres de production radio.

Allemagne. Stimme der Hoffnung : Am Elfengrund 66, 6100 Darmstadt 13.
Adventist World radio : Am Elfengrund 66, 6100 Darmstadt 13.

Belgique. Radio Espérance : 157/015 quai des Ardennes, 4600 Liège.
Radio Maranatha : BP 664, 1100 Bruxelles.

France. Radio Cristal : BP 200, 88005 Épinal.
Radio Espérance : BP 6, 13361 Marseille Cedex 10.
Radio La Sentinelle : 21, rue Ste Croix des Pelletiers, 76000 Rouen.
Radio Mieux vivre : Le Martin, 87270 Couzeise (Limoges).
Radio Rencontre : 68, rue Vendôme, 69000 Lyon.
Radio Salève : BP 66, 74160 Collonges-sous-Salève.
Radio Semnoz : 6 Faubourg des Annonciades, 74000 Annecy.
Radio 13 : BP 5409, 75009 Paris.
Radio 74 : 74160 St Julien en Genevois.
Station 83 : 271 boulevard Charles Barnier, 83000 Toulon.

Italie. Radio Voce della speranza : Via delle Lane 33, 40122 Bologna.
Radio Voce della speranza : CP 103, 31015 Conegliano.
Radio Voce della speranza : Via Trieste 23, 50100 Firenze.
Radio Voce della speranza : Via Fontania 2/E, 04024 Gaeta.
Radio Betel : Salita di Paola 14, 92019 Sciacca.
Tele Video avventista : Strada Provinciale Nicolosi, CP 2, Ragalna 16, 95030
   Nicolosi, Catania.

Portugal. Adventist World Radio : Rua Braamcamp 84-6E, 1200 Lisbonne.

Fédération du Nord de la France.

Siège. 130, boulevard de l'Hôpital, 75013 Paris

Lieux de culte. Angers 49000, 5, avenue Turpin-de-Crissé.
Bagneux 92220, 208, avenue Aristide-Briand.
Besançon 25000, 73, Grande Rue.
Bolbec 76210, Temple Réformé, Iᵉʳ étage, rue René Coty.
Boulogne-sur-Mer 62200, chez Viller, 97 cité des Abeilles.
Bourges 18000, rue des Urbets.

Brest 29200, 9, rue du Télégraphe.

Caen 14000, 20-22, rue de Québec.

Champigny-sur-Marne 94500, 10, chemin Latéral du Nord.

Chartres 28000, 52, rue du Grand-Faubourg (fond cour gauche).

Châteauroux 36000, chez M. Rodet, 155 route d'Argenton.

Chatellerault 86100, 47, boulevard Victor-Hugo.

Colmar 68000, 19, rue Saint-Joseph.

Creil 60100, 1, rue Canneville.

Créteil 94000, rue Maurice-Deménitroux.

Creutzwald 57150, 107, rue de la Houve.

Dammarie-les-Lys 77190, 69, avenue Foch.

Dieppe 76200, 25, rue de la Rade.

Dijon 21000 ; 26, boulevard de l'Université.

Dole 39100, 51, avenue de Paris.

Dreux 28100, 35, rue Parisis.

Dunkerque 59140, 15, rue de Furnes.

Englefontaine 59530, 45, rue Victorien Cantineau.

Épinal 88000, 74, rue Général Leclerc, Chantraine.

Évry 91000, téléphoner au pasteur (1) 64 97 06 73.

Fécamp 76400, route de Valmont, Sente Magnan.

Fontainebleau 77300, 12, rue de Fleury.

Franconville 95130, 79, chaussée Jules César.

Guebwiller 68500, 129, rue Théodore Deck.

Haguenau 67500, téléphoner au pasteur 88 93 45 74.

Ivry-sur-Seine 94200, 25, rue Christophe-Colomb.

Le Havre 76600, 31, rue du Maréchal-Galliéni.

Le Mans 72000, 14, rue Cauvin.

Lille 59000, 11, rue des Débris-St-Etienne (sous la voûte).

Metz 57000, 4 bis (porche), avenue De Lattre de Tassigny.

Montbelliard 25200, 16, rue des Blancheries.

Mulhouse 68100, 23, Grand-Rue.

Munster 68140, Solberg 1.

Nancy 54000, 46, rue Stanislas (dans la cour).

Nantes 44000, 42, boulevard Auguste-Peneau.

Neuilly-sur-Seine 92200, 81, boulevard Bineau.

Nevers 58000, téléphoner au pasteur 48 55 19 96.

Oberhoffen-sur-Moder 67240, Impasse des Prunes.

Orléans 45000, 61, av. Général-Leclerc, St Jean-de-Braye.

Paris-Sud-Est 75020, 96, rue des Grands-Champs.

Paris-Sud-Est (annexe) 75011, 153, avenue Ledru-Rollin.

Paris-Sud 75013, 130, boulevard de l'Hôpital.
Paris-Est 75009, 63, rue du Faubourg-Poissonnière.
Paris-Nord 93500, 29, rue Méhul, Pantin.
Poitiers 86000, rue Serge-Rouault.
Reims 51100, 20, rue de l'Ile-de-France, Tinqueux.
Rennes 35000, 29, rue Saint-Hélier (passage privé).
Rouen 76000, 21, rue Sainte-Croix-des-Pelletiers.
Sainte-Croix-aux-Mines 68160, Chapelle protestante.
Saint-Claude 39200, 22, rue des Étapes.
Saint-Dié 88100, 21, rue Saint-Charles.
Saint-Quentin 02100, 50, rue des Patriotes.
Saumur 49400, 4, rue Ancienne Messagerie.
Savigny-Le-Temple 77176, Salle les Érables, rue du Couchant.
Strasbourg 67000, 5, boulevard d'Anvers.
Thionville 57100, chez M. Béghin, 4, rue du Chêne, Basse-Ham-St-Louis.
Tours 37000, 74, rue Léon Boyer.
Vannes 56000, 17, place de la Libération.
Versailles 78000, 22, rue des Réservoirs.

Fédération du Sud de la France.

Siège. Rue du Romarin, Clapiers, 34170 Castelnau le Lez.

Lieux de culte. Aix-en-Provence 13100, Jardins de Grassi, Impasse Grassi.
Ajaccio 20000, 2, rue Bonaparte.
Alès 30100, 6, rue Pablo Picasso.
Anduze 30140, Pont du Gardon.
Angoulême 16000, 129, rue St-Roch.
Annecy 74000, 6, faubourg des Annonciades.
Annemasse 74100, 5, rue Paul-Bert.
Avignon 84000, 5, rue Me de Sévigné.
Bastia 20220, chez Fanucchi/Paolina, bâtiment C, Route impériale.
Béziers 34500, Église Réformée, Place du Temple.
Bordeaux 33000, 36, rue du Palais-Gallien.
Cannes 06110, 38, rue de Cannes, Le Cannet.
Carpentras 84200, 9, avenue du Camping.
Castres 81100, 18, rue Mérigonde.
Chambéry 73000, Maison de la Providence, 357, faubourg Montmélian.
Clapiers 34170, Foyer 'Le Romarin', rue du Romarin, Castelnau le Lez.
Clermont-Ferrand 63000, Église Réformée, 11, rue Marmotel.

Collonges-sous-Salève 74160, Séminaire adventiste du Salève, St-Julien-en-Genevois.

Crest 26400, 'Sans souci', chemin du Donjon.

Dax 40100, 27, avenue Francis-Planté.

Digne 04000, 3, rue des Monges.

Draguignan 83300, 73, boulevard des Remparts.

Escos 64270, chez Dr Chartres, 'Les Colombiers', Salies de Béarn.

Ferney-Voltaire 01210 (pays de Gex), Église protestante.

Grenoble 38100, 28, rue Léon Jouhaux.

Jarnac 16200, Château du Brillac.

La Chabrerie 24460, Maison de repos, Château-l'Évêque.

La Rochelle 17000, 40, rue des Quatre Fages.

Lasalle 30460, 180, Grande-Rue.

Limoges 87000, 4, rue Bernard Palissy.

Lyon 69006, 68, rue Vendôme.

Mâcon 71000, Temple protestant, rue St-Antoine.

Manosque 04100, Église Réformée, rue du Temple (Eau vive).

Marseille 13001, 5, boulevard Longchamp.

Marseille-Saint-Tronc 13010, 81, chemin de Pont de Vivaux.

Monoblet 30172, chapelle évangélique, route d'Anduze.

Montauban 82000, 3, rue Princesse.

Montpellier 34100, 548, rue de Puech Villa, Montpellier Zolad.

Nice 06000, 24, rue de Paris.

Nimes 30000, Ancienne route d'Avignon près de l'aérodrome Courbessac.

Pau 64000, 13, avenue des Lauriers.

Périgueux 24000, 14, rue Sébastopol.

Perpignan 66000, rue Jacques Thibaud, quartier Vernet Salanque.

Pierre-Segade ou Viane 81530, route de Castres.

Roanne 42300, 130, avenue de Paris.

Saintes 17100, Église Réformée, cours Verseau.

Saint-Étienne 42000, 6, rue Beaunier.

Saint-Jean-du-Falga 09100, chez Pellicer, rue des Jardins.

Saint-Julien-en-Genevois 74160, 14, avenue de Genève.

Sète 34200, 31, rue Prévost d'Augier, résidence La Fontaine.

Tarbes 65000, 22, rue Larrey.

Thonon-les-Bains 74200, 'L'Estérel', 9, rue J. Blanchard.

Tonneins/Agen 47400, Église Réformée, 2, rue Foch.

Toulon 83000, 271, boulevard Charles Barnier.

Toulouse 31400, 230, avenue Saint-Exupéry.

Valence 26000, 6, rue Mirabeau.

Vence 06140, 18, rue Gambetta.
Vichy 03200, 10, rue Darcet.

Fédération belgo-luxembourgeoise.

Siège. Rue Esrnest Allard 11, 1000 Bruxelles.

Lieux de culte. Antwerpen 2000, Lange Lozanastraat 36.
Braine l'Alleud 1420, rue Vallée Bailly 62.
Brasschaat 2130, Leopoldlei 2.
Brugge 8000, Freren Fonteinstraat 9.
Bruxelles 1000, rue Ernest Allard 11.
Bruxelles 1200, avenue des Iles d'Or 15 (Woluwé St-Lambert).
Charleroi 6040, rue Émile Vandervelde 16 (Jumet).
Dendermonde 9330, Krekelhoek 9 (Grembergen).
De Panne 8470, Veurnestraat 47.
Dour 7270, rue Valentin Nisol 8 (Élouges).
Gent 9000, Kortrijksepoortstraat 158.
Hasselt 3500, Genkersteenweg 26.
Ieper 8900, Oude Veemarkt 26b.
Kortrijk 8500, Rekollettenstraat 33.
La Louvière 7100, Chaussée 10, Houdeng-Goegnies.
Leuven 3200, Minderbroedersstraat 52.
Liège 4000, boulevard Frère-Orban 29.
Mechelen 2800, Wagonstraat 20.
Mouscron 7700, rue de Menin 48.
Namur 5100, rue de Dave 136A (Jambes).
Nivelles 1400, boulevard des Archers 63.
Oostende 8400, Blauwkasteelstraat 25.
Opvelp 3371, Culostraat 2.
Roeselare 8800, Henri Horrystraat 38.
Verviers 4800, rue des Déportés 74.
Wavre 1300, rue Lambert Fortune 99.
Mersch, rue Belle-Vue 3 (Rollingen, Grand-Duché de Luxembourg).

Fédération de la Suisse romande.

Siège. Chemin des Pépinières 19, 1020 Renens/Lausanne.

Lieux de culte. Bellinzona 6500, Viale Officina 8.
Bienne 2500, 33, chemin des Écluses.

Chateau d'Oex 1837, Villa d'Oex.
Chaux de Fonds (La) 2300, 12, rue Jacob-Brandt.
Clarens/Montreux 1815, 14, rue de Jaman.
Couvet (Val de Travers) 2108, Grand-Rue 24.
Délémont 2800, 79, route de Rossemaison.
Fribourg 1700, rue de la Carrière 10.
Genève 1200, 68, boulevard de la Cluse.
Genève 1200 (hispanique), Paroisse de l'Oratoire, rue Tabazan 7.
Genève 1200 (portugais), Centre universitaire protestant, avenue du Mail 2.
Gland 1196, La Lignière.
Lausanne 1006, 8, avenue de l'Église-Anglaise.
Locarno 6600, Via San Carlo 3, 6600 Muralto-Locarno.
Lugano 6900, Via Cabione 18, 6900 Massagno-Lugano.
Martigny 1920, 33, rue du Léman.
Morat 3280, 19, rue de l'Hôtel de Ville.
Neuchâtel 2000, 39 a, faubourg de l'Hôpital.
Neuveville (La) 2520, 3, chemin de Bel-air.
Oron la ville 1672, Établissement médico-social 'Le Flon'.
Payerne 1530, 3, rue des Moulins.
Renens/Lausanne 1020, 26, avenue du 14 Avril.
Rolle 1180, 14 rue de Petites Buttes.
Saint Imier 2610, 3, rue du Midi.
Sierre 3960, 10, avenue Max-Huber (rue principale).
Tramelan 2720, 5, rue du Chalet.
Yverdon 1400, 'Chalet d'Avril', 8, avenue des Bains.

Division transeuropéenne
Siège.
119 St Peter's Street, St Albans, Herts, AL1 3EY, Grande Bretagne.

Territoire.
Union Britannique : Stanborough Park, Watford, Herts, WD2 6JP, Grande
  Bretagne.
Union de la Finlande : Uudenmaantie 50, Turku, Finlande.
Union Hongroise : Szekely Bertalan u.13, 1062 Budapest, Hongrie.
Union du Nord-Ouest : Holmenkollveien 31, Oslo, Norvège.
Union du Pakistan : Adventpura, 16 KM, Multan Road, Lahore, Pakistan.
Union des Pays-Bas : Biltseweg 14, Bosch en Duin, Pays-Bas.
Union Polonaise : Foksal 8, 00-366 Warszawa, Pologne.

DIVISION TRANSEUROPÉENNE

Union Suédoise : Tunnelgatan 25, 111 22 Stockholm, Suède.
Union Yougoslave : Bozidara Adzije 4, 11000 Belgrade, Yougoslavie.

Territoires rattachés.

Fédération de l'Islande : POB 262, Reykjavik, Islande.
Mission Grecque : Keramikou 18, Athènes 10437, Grèce.
Israël : Advent House, 4, Rehov Abraham Lincoln, Jérusalem, Israël.

Répartition des croyants adventistes en 1985.

Finlande	66 églises	6.385 membres
Grande-Bretagne	186 églises	16.065 membres
Grèce	9 églises	240 membres
Hongrie	129 églises	4.448 membres
Islande	7 églises	550 membres
Israël	4 églises	31 membres
Pakistan	45 églises	5.428 membres
Pays-Bas	50 églises	3.967 membres
Pologne	121 églises	4.556 membres
Suède	46 églises	3.286 membres
Union du Nord-Ouest	125 églises	8.891 membres
Yougoslavie	274 églises	10.351 membres
	1.062 églises	64.198 membres

Division de l'Afrique-Océan Indien
Siège.
Cidex 03 C 84, Riviera 1, Abidjan, Côte d'Ivoire.

Territoire.
Union de l'Afrique centrale de L'Ouest : BP 401, Yaoundé, Cameroun.
Union de l'Afrique de l'Ouest : POB 1016, Accra, Ghana.
Union du Nigeria : BP 207, Ikeja, Lagos, Niger.
Union de L'Océan Indien : BP 700, Tananarive, Madagascar.
Union du Rwanda : BP 367, Kimihura, Kigali, Rwanda.
Union de Sahel : BP 3182, rue 11 angle 10, Dakar, Sénégal.
Union du Zaïre : 765 avenue de la Révolution, Lubumbashi, Zaïre.

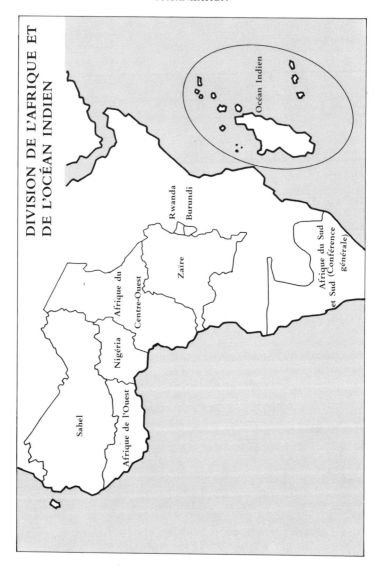

DIVISION DE L'AFRIQUE ET DE L'OCÉAN INDIEN

Sahel

Afrique de l'Ouest

Nigéria

Afrique du Centre-Ouest

Zaïre

Rwanda

Burundi

Afrique du Sud et Sud (Conférence générale)

Océan Indien

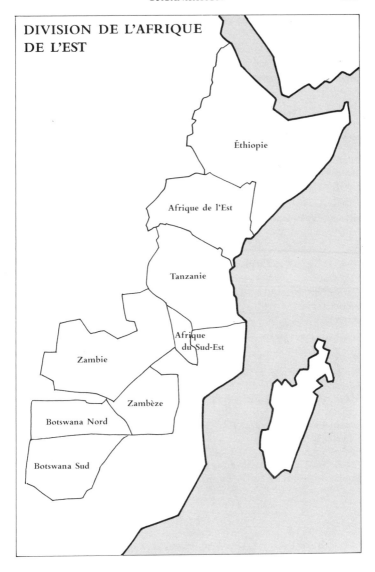

DIVISION DE L'AFRIQUE
DE L'EST

Éthiopie

Afrique de l'Est

Tanzanie

Afrique
du Sud-Est

Zambie

Zambèze

Botswana Nord

Botswana Sud

Territoire rattaché.

Mission du Burundi : 126 Avenue Prince Louis Rwagasore, Bujumbura, Burundi.

Répartition des croyants adventistes en 1985.

Afrique centrale	361 églises	32.985 membres
Afrique de l'Ouest	312 églises	104.060 membres
Burundi	81 églises	20.621 membres
Océan Indien	148 églises	21.325 membres
Nigéria	368 églises	65.413 membres
Rwanda	609 églises	153.633 membres
Sahel	31 églises	4.101 membres
Zaïre	685 églises	142.499 membres
	2.595 églises	544.637 membres

Division de l'Afrique de l'Est

Sièges.

Corner of Enterprise Road and Princess Drive, Highlands, Harare, Zimbabwé.

Riverside Drive, Nairobi, Kénya.

Territoire.

Union de l'Afrique de l'Est (Kénya, Ouganda) : Invergara Grove, Nairobi, Kénya.

Union de l'Afrique du Sud-Est (Malawi) : Robins Road, Kabula Hill, Blantyre, Malawi.

Union Éthiopienne (Éthiopie, Djibouti, Somalie) : POB 145, Addis Abeba, Éthiopie.

Union de la Tanzanie : Njiro Hill, Temi Road, Arusha, Tanzanie.

Union du Zambèze: 41, Lawley Road, Suburbs, Bulawayo, Zimbabwé.

Union de la Zambie : 4013 Burma Road, Lusaka, Zambie.

Territoires rattachés.

Botswana Nord : POB 86, Francistown, Botswana.

Botswana Sud : POB 378, Gaberone, Botswana.

Répartition des croyants adventistes en 1985.

Afrique de l'Est	1.060 églises	241.739 membres
Afrique du Sud-Est	341 églises	65.817 membres
Botswana Nord	14 églises	4.135 membres
Botswana Sud	10 églises	3.028 membres
Éthiopie	126 églises	35.265 membres
Tanzanie	342 églises	67.532 membres
Zambèze	304 églises	71.995 membres
Zambie	393 églises	66.408 membres
	2.590 églises	555.919 membres

Division du Pacifique Sud
Siège.
Fox Valley Road, 148, Wahroonga, New South Wales 2076, Australie.

Territoire.
Union du Pacifique Central (Cook, Fidji, Polynésie française, Pitcairn, Samoa, Tonga): 357 Prince's Road, Tamavua, Suva, Fidji.
Union du Pacifique Ouest (Salomon, Nouvelle-Calédonie, Kiribati, Tuvalu, Vanuatu): Palm Drive, Burns Creek, Honiara, Iles Salomon.
Union papoue de Nouvelle-Guinée (Papouasie, Nouvelle-Guinée, Salomon): POB 86, Lae, Papua, Nouvelle-Guinée.
Union Transaustralienne: 3 Norfolk Road, Surrey Hills, Victoria 3127, Australie.
Union de Transtasmanie (Sidney, Tasmanie, Nouvelle-Zélande): 738 Pacific Highway, Gordon, New South Wales 2072, Australie.

Répartition des croyants adventistes en 1985.

Pacifique central	194 églises	21.164 membres
Pacifique Ouest	167 églises	19.759 membres
Papoue-Nouvelle-Guinée	476 églises	86.398 membres
Union transaustralienne	181 églises	19.155 membres
Union transtasmanienne	269 églises	33.845 membres
	1.287 églises	180.321 membres

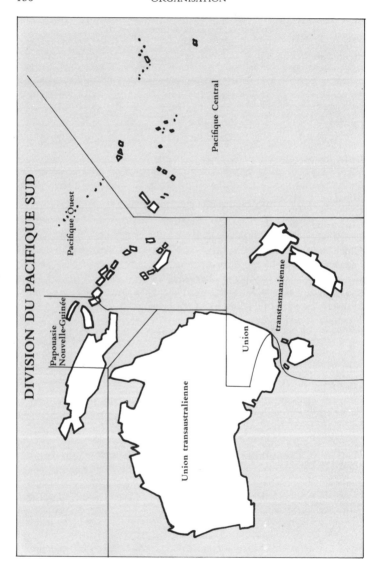

Division de l'Extrême-Orient

Siège.

Thomson Road 800, Singapore 1129, Singapour.

Territoire.

Union de l'Asie du Sud-Est : 251 Upper Serangoon Road, Singapore 1334, Singapour.

Union de la Corée : 66 Hoi-Ki-Dong, Tong-dai-moon-ku, Séoul, Corée du Sud.

Union des îles du Sud de la Chine : 17 Ventris Road, Hong-Kong. Pa Te Road 424, Section 2, Taipei, Taiwan.

Union de l'Est Indonésien : Jalan Walanda Maramis, 38, Manado, Sulawesi Utara, Indonésie.

Union de l'Ouest Indonésien : Jalan M.H. Thamrin 22, Jakarta, Java, Indonésie.

Union du Japon : 846 Kamikawaï-cho, Asahi-ku, Yokohama 241, Japon.

Union du Centre des Philippines : 112 Gorordo Avenue, Cebu City 6401, Philippines.

Union du Nord des Philippines : Corner Donada and San Juan Streets, Pasay City 3129, Philippines.

Union du Sud des Philippines : Carmen Hills, Crossing Alta Tierra, Cagayan de Oro, Philippines.

Territoire rattaché.

Mission de l'île de Guam : POB EA, Agana, 96910 Guam.

Répartition des croyants adventistes en 1985.

Asie du Sud-Est	204 églises	35.657	membres
Chine (Iles du Sud)	53 églises	8.911	membres
Corée	417 églises	70.718	membres
Guam	10 églises	1.833	membres
Indonésie (Est)	394 églises	49.026	membres
Indonésie (Ouest)	412 églises	51.787	membres
Japon	102 églises	11.568	membres
Philippines (Centre)	470 églises	86.105	membres
Philippines (Nord)	906 églises	114.005	membres
Philippines (Sud)	610 églises	151.963	membres
	3.578 églises	581.573	membres

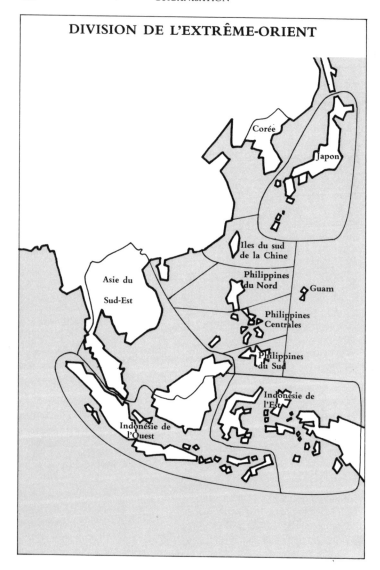

DIVISION DE L'EXTRÊME-ORIENT

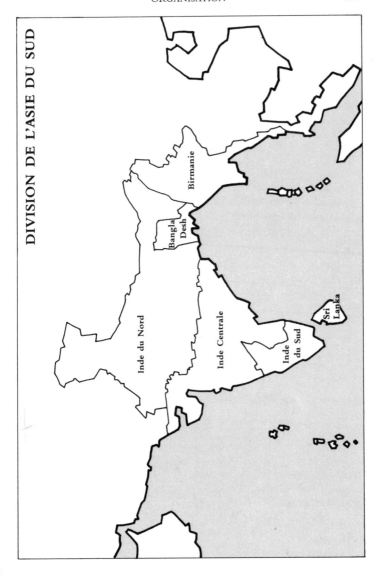

DIVISION DE L'ASIE DU SUD

Birmanie

Bangla Desh

Inde du Nord

Inde Centrale

Inde du Sud

Sri Lanka

Division de l'Asie du Sud
Siège.

Salisbury Park, Poona 411001, Inde.

Territoire.

Union du Bangla Desh : 149 Shah Ali Bagh, Mirpur, Bangla Desh.

Union de Birmanie : 68 U Wisara Road, Rangoon, Birmanie.

Union du Centre de l'Inde : 16 Maratha Mandir Marg, Bombay 400 008, Inde.

Union du Nord de l'Inde : 11, Hailey Road, New Delhi 110 001, Inde.

Union du Nord-Est de l'Inde : Pyrbot Villa, Laitumkhrah, Shillong 793 003, Meghalaya, Inde.

Union du Sud de l'Inde : 13 Cunningham Road, Bangalore 560 052, Inde.

Union du Sri Lanka : 7 Alfred House Garden, Colombo 3, Sri Lanka.

Répartition des croyants adventistes en 1985.

Bangla-Desh	46 églises	5.005 membres
Birmanie	121 églises	10.392 membres
Inde (Centre)	181 églises	47.006 membres
Inde (Nord)	104 églises	17.718 membres
Inde (Nord-Est)	96 églises	10.835 membres
Inde (Sud)	383 églises	58.443 membres
Sri Lanka	23 églises	1.561 membres
	954 églises	150.960 membres

Division de l'Amérique du Sud
Siège.

CP 12-2600, 70.279 Brasilia, Brésil.

Territoire.

Union Australe : Calle Echeverria 1452, 1602 Florida, Buenos Aeres, Argentine.

Union de l'Est du Brésil : Avenida 7 de Setembro 69, Niteroi, Rio de Janeiro, Brésil.

Union du Nord du Brésil : Travessa Mauriti 2881, Belem, Para, Brésil.

Union du Sud du Brésil : Avenida Acoce 544, Indianapolis, Sao Paulo, Sao Paulo, Brésil.

Union du Chili : Americo Vespucio Norte 134, Santiago, Chili.

Union Inca : Avenida Comandante Espinar 610, Miraflores, Lima, Pérou.

DIVISION DE L'AMÉRIQUE DU SUD

Territoire rattaché.

Mission de l'Équateur : Calle Tulcan 901 y Hurtado, Guayaquil, Équateur.

Répartition des croyants adventistes en 1985.

Brésil (Est)	442 églises	121.791 membres
Brésil (Nord)	162 églises	90.806 membres
Brésil (Sud)	631 églises	189.883 membres
Chili	224 églises	50.909 membres
Équateur	30 églises	10.265 membres
Union australe	281 églises	56.966 membres
Union inca	367 églises	176.866 membres
	2.137 églises	697.486 membres

Division inter-américaine

Siège.

Ponce de Leon Boulevard 760, Coral Gables, Florida 33134, USA.

Territoire.

Union d'Amérique Centrale : Costado Norte del Estadio de Alajuela, Etapa N 3, Costa Rica.

Union des Antilles : 1188 Verona Street, Villa Capri, Rio Piedras, 00924 Porto Rico.

Union des Caraïbes : 7 Rookery Nook, Port of Spain, Trinidad.

Union de Colombie-Venezuela : Carrera 84, Wo 33 B-69, Medellin, Colombie.

Union de Cuba : Appartado 50, General Peraza, La Havane, Cuba.

Union franco-haïtienne : ruelle Ganot 78, Port-au-Prince, Haïti.

Union des Indes occidentales : Mandeville, Jamaïque.

Union du Mexique : Uxmal 431, Colonia Narvarte, Mexico 12, Mexique.

Répartition des croyants adventistes en 1985.

Siège de la Division	1 église	77 membres
Amérique centrale	449 églises	123.735 membres
Antilles	415 églises	79.913 membres
Caraïbes	381 églises	90.815 membres
Colombie-Venezuela	434 églises	113.358 membres
Cuba	101 églises	8.857 membres

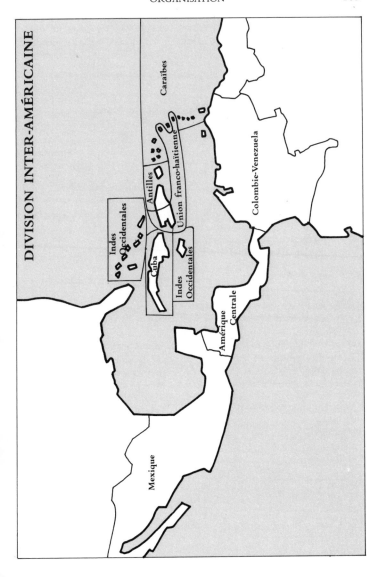

DIVISION INTER-AMÉRICAINE

Indes occidentales	485 églises	123.254 membres
Mexique	628 églises	218.123 membres
Union franco-haïtienne	313 églises	131.761 membres
	3.207 églises	889.893 membres

Division de l'Amérique du Nord
Siège.

Eastern Avenue 6840 NW, Washington, D.C. 20012, USA.

Territoire.

Union de l'Atlantique : POB 1189, South Lancaster, Massachusetts 01561, USA.

Union Canadienne : 1148 King Street, East, Oshawa, Ontario, Canada L1H 1H8.

Union du Centre : 8550 Pioneers Boulevard, Lincoln, Nebraska 68526, USA.

Union de Columbia : 5427 Twin Knolls Road, Columbia, Maryland 21045, USA.

Union des Lacs : 125 College Avenue, Berrien Springs, Michigan 49103, USA.

Union du Pacifique : POB 5005, Westlake Village, California 91359, USA.

Union du Pacifique Nord : 10225 East Burnside Street, Portland, Oregon 97216, USA.

Union du Sud : 3978 Memorial Drive, Decatur, Georgia 30032, USA.

Union du Sud-Ouest : 777 South Burleson Boulevard, Burleson, Texas 76028, USA.

Répartition des croyants adventistes en 1985.

Atlantique	348 églises	57.556 membres
Canada	289 églises	35.689 membres
Centre	504 églises	55.731 membres
Columbia	541 églises	79.599 membres
Lacs	468 églises	64.198 membres
Pacifique	565 églises	160.030 membres
Pacifique Nord	377 églises	66.940 membres
Sud	738 églises	118.540 membres
Sud-Ouest	476 églises	51.224 membres
	4.306 églises	689.507 membres

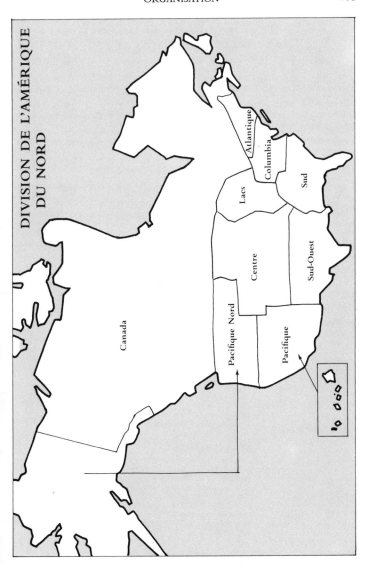

DIVISION DE L'AMÉRIQUE DU NORD

Territoires rattachés directement
au bureau de la Conférence générale

Territoire.

Union de l'Afrique du Sud : 110 Selborne Avenue, Bloemfontein, Orange, Afrique du Sud.

Union du Sud : 17 Louis Road, Orchards, Johannesbourg 2192, Transvaal, Afrique du Sud.

Union du Moyen-Orient : 32 Gladstone Street, Nicosie, Chypre.

Répartition des croyants adventistes en 1985.

Afrique du Sud	182 églises	20.404 membres
Sud	279 églises	31.794 membres
Moyen-Orient	41 églises	3.417 membres
	502 églises	55.615 membres

Bibliographie

INTRODUCTION

Principales maisons d'édition adventistes.

L'essentiel de la bibliographie adventiste est en anglais. Pour le lecteur français, nous avons situé en début de liste toutes les références en langue française auxquelles il pourrait avoir recours pour un approfondissement de son étude. Elles ne sont malheureusement pas très nombreuses par rapport aux ouvrages en langue étrangère. Par commodité, nous avons employé ici les abréviations suivantes :

AUP : Andrews University Press, Berrien Springs, Michigan, USA.

IF : Imprimerie Fides, Collonges-sous-Salève, France.

PPPA : Pacific Press Publishing Association, Mountain View, California, USA.

RHPA : Review and Herald Publishing Association, Washington D.C., USA.

SDA : Seventh-day Adventists.

SdT : Signes des Temps, Dammarie-les-Lys, France (devenu Vie et Santé depuis 1982).

SPA : Southern Publishing Association, Nashville, Tennessee, USA.

SPPA : Steam Press of the Seventh-day Adventist Publishing Association, Battle Creek, Michigan, USA.

VS : Vie et Santé (voir SdT).

Principaux fonds d'archives adventistes.

Aurora College, Aurora, Illinois : possède la plus vaste collection de documents sur le mouvement millérite, en particulier plus de huit cents lettres écrites par et adressées à William Miller.

Berkshire Christian College, Lenox, Massachusetts : complète la collection précédente par de nombreux périodiques de l'époque 1844-46 et 1859-1905.

Andrews University, Berrien Springs, Michigan : détient la grande majorité des sources sur l'histoire de l'Église adventiste du septième jour.

Ellen G. White Estate, Takoma Park, Washington D.C. : catalogue plus de soixante mille pages de manuscrits, lettres, articles et livres en rapport avec Ellen G. White. Il s'est enrichi récemment d'une collection découverte dans le Michigan, de deux mille lettres écrites par et adressées à E.G. White, dans la période 1852-1900.

Loma Linda University Archives, Loma Linda, California : possède une collection spécifique relative au développement de l'éducation médicale au sein de l'Église adventiste.

Seminar Marienhoehe Archivs, Darmstadt, RFA : détient une part importante des archives de l'Église adventiste eu Europe germanophone.

Bibliothèque Alfred Vaucher, Collonges-sous-Salève, France : dispose de ressources importantes sur les débuts de l'Église adventiste en Europe latine.

Pour une bibliographie bien faite sur les débuts du mouvement adventiste et de l'Église à partir des ressources d'archives, voir :

Carner V., Kubo S., Rice C., *Bibliographical essay*, dans éd. E.S. Gaustad, *The Rise of Adventism. Religion and Society in Mid-nineteenth-century America*, New York, Harper and Row, 1974, 207-317.

Damsteegt P.G., *Foundations of the Seventh-day Adventist message and mission*, Grand-Rapids, Michigan, Eerdmans, 1977, 314-334.

Documentation générale.

Benoit Lavaud M., *Sectes modernes et foi catholique*, Paris, Aubier, 1954.

Chéry H.-Ch., o.p., *L'offensive des sectes*, Paris, Cerf, 1954.

Desroches H., *Dieux d'hommes*, Paris-La Haye, Mouton, 1969.

Dinan C. de, *Pourquoi je ne suis pas adventiste du septième jour*, Paris, Librairie St François, 1949.

Fuchs E., *Les Adventistes du septième jour*, Neuchâtel-Paris, Delachaux et Niestlé, 1963.

Matton A., *Vos amis les Adventistes*, SdT, 1969.

Nicole J.M., *Les Adventistes du septième jour ont-ils raison ?*, Vernes sur Lausanne, 1960.

Sandri D., *A la recherche des sectes et sociétés secrètes d'aujourd'hui*, Paris, Presses de la Renaissance, 1978.

Séguy J., *Adventisme*, dans *Encyclopaedia Universalis*, I, Paris, 1986, 281-282.

Séguy J., *Les sectes protestantes dans la France contemporaine*, Paris, Beauchesne, 1956.

Vaucher A.F., *Pourquoi je suis adventiste du septième jour*, SdT, 1951.

Woodrow A., *Les nouvelles sectes*, Paris, Seuil, 1977.

Wyss P., *Aperçu sur les sectes ou dénominations chrétiennes*, Bruxelles, 1936.

Périodiques.

Tous les périodiques adventistes disponibles aux États-Unis et provenant du monde entier sont recensé dans *A Union list of Adventist serials*, James White Library éd., Berrien Springs, Michigan, Andrews University, 1978, 115pp.

Nous n'indiquons ici que les périodiques en langue française :

Ami de Dieu, trimestriel, sdt. Pour l'étude de la Bible par les enfants de 8-12 ans.

Bourgeons, trimestriel, sdt. Pour l'étude de la Bible par les enfants de 2-7 ans.

Conscience et liberté, semestriel, Berne. Organe de l'Association Internationale pour la Défense de la liberté religieuse.

L'Écho du Salève, trimestriel, Collonges-sous-Salève. Journal scolaire du Séminaire adventiste.

Leçons de l'École du sabbat, trimestriel, sdt. Pour l'étude de la Bible par les adultes.

Le Moniteur, trimestriel, sdt. Manuel pour l'animateur des classes adultes d'étude de la Bible.

Rapport missionnaire mondial, trimestriel, sdt. Récits missionnaires.

Revue adventiste, mensuel, sdt. Journal d'Église.

Revue Adventiste, trimestriel, Abidjan, Côte d'Ivoire. Journal officiel de la Division Afrique-Océan indien.

La Sentinelle, mensuel, pppa. Journal d'édification diffusé principalement aux Antilles.

Servir, trimestriel, Berne. Organe de l'Association pastorale des Adventistes du septième jour.

Signes des temps, mensuel, sdt. Revue de réflexion religieuse pour le grand public.

Vie et santé, mensuel, sdt. Revue d'éducation sanitaire pour le grand public.

HISTOIRE

Documents d'archives.

De plus d'une centaine de titres nous extrayons quelques documents significatifs que nous présentons dans leur ordre chronologique.

Avant l'expérience de l'attente. Miller W., *Evidences from Scripture and history of the second coming of Christ about the year A.D. 1843, and of his personal reign of 1,000 years*, Brandon, Vermont Telegraph, 1833.

Fitch Ch., *Slaveholding weighed in the balance of truth, and its comparative guilt illustrated*, Boston, I. Knapp, 1837.

Litch J., *The Probability of the second coming of Christ about A.D. 1843 shown by a comparison of prophecy with history, up to the present time, and an explanation of those prophecies which are yet to be fulfilled*, Boston, D.H. Ela, 1838.

Miller W., *The Bible student's manual of chronology and prophecy*, Boston, J.V. Himes, 1841.

Litch J., *An Address to the public, and especially to the clergy, on the near approach of the glorious, everlasting kingdom of God on earth, as indicated by the word of God, the history of the world, and signs of the present times*, Boston, J.V. Himes, 1842.

L'attente de 1843-1844. Bliss S., *The Chronology of the Bible, showing from the Scriptures and undisputed authorities that we are now near the end of six thousand years from creation*, Boston, J.V. Himes, 1843.

Bliss S., *An Exposition of the twenty-fourth of Matthew in which it is shown to be an historical prophecy, extending to the end of time, and literally fulfiled*, Boston, J.V. Himes, 1843.

Fitch Ch., *"Come out of her, my people": a sermon*, Rochester, J.V. Himes, 1843.

Himes J.V., *Millenial harp, or Second Advent melodies designed for meeting on the second coming of Christ*, Boston, J.V. Himes, 1843.

Litch J., *The Rise and progress of Adventism*, Advent Shield and Review 1, Boston, J.V. Himes, 1844, 46-93.

Après la grande déception de 1844. Miller W., *William Miller's apology and defence*, Boston, J.V. Himes, 1845.

Preble T.M., *Tract, showing that the seventh-day should be observed as the sabbath, instead of the first day*, "According to the Commandment", 1845.

Bates J., *Second Advent waymarks and high heaps, or a connected view of the fulfillment of prophecy by God's peculiar people from the year 1840 to 1847*, New Bedford, B. Lindsey, 1847.

White J., *A Word to the little flock*, Maine, J. White, 1847.

Himes J.V., *The Restitution, Christ's kingdom on earth; the return of Israel. Together with their political emancipation, the beast, his image and worship: also, the fall of Babylon, and the instruments of its overthrow*, Boston, J.V. Himes, 1848.

Bliss S., *Analysis of sacred chronology with the elements of chronology; and the members of the Hebrew vindicated*, Boston, J.V. Himes, 1851.

Himes J.V., *Address of Advent believers, assembled in conference at Auburn, New York, Jan. 15, 1851, being a reaffirmation of their views on the second Advent - the millenium - the new heavens and earth*, Boston, J.V. Himes, 1851.

Bliss S., *Memoirs of William Miller, generally known as a lecturer on the prophecies, and the second coming of Christ*, Boston, J.V. Himes, 1853.

Le temps des souvenirs, de l'organisation et des tensions. Andrews J.N., *History of the sabbath and the fisrt day of the week*, RHPA, 1861.

Bates J., *The Autobiography of Elder Joseph Bates; embracing a long life on shipboard, with sketches of voyages on the Atlantic and Pacific Oceans, the Baltic and Mediterranean seas; also impressment and service on board British warships, long confinement in Dartmoor prison, early experience in reformatory movements; travels in various part of the world; and a brief account of the great Advent movement of 1840-44*, SPPA, 1868 (réédité en 1970 par SPA).

Smith U., *The Visions of Mrs. E.G. White*, SPPA, 1868.

White J., *Life incidents in connection with the great Advent mouvement as illustrated by the three angels of Rev. XIV*, SPPA, 1868.

White J., *An Appeal to the working men and women in the ranks of the Seventh day Adventists*, SPPA, 1872.

Butler G., *Leadership*, Battle Creek, Michigan General Conference of SDA, 1873.

Wellcome I., *History of the second Advent message*, Yarmouth, 1874.

White J., *Sketches of the christian life and public labor of William Miller gathered from his memory by the late Silvester Bliss, and from other sources*, SPPA, 1875 (réédité par AMS Press, New York, 1971).

Seventh-day Adventist yearbook, Office of Archives and Statistics, comp., General Conference of SDA, Washington D.C., RHPA, 1884, 1885, 1887, 1889.

Butler G., *The Law in the book of Galatians*, RHPA, 1886.

Waggonner E.J., *The Gospel in the book of Galatians*, Oakland, California, PPPA, 1888.

Loughborough J.N., *Rise and progress of the Seventh-day Adventists with tokens of God's hand in the mouvement and a brief sketch of the Advent cause from 1831 to 1844*, Battle Creek, Michigan, General Conference Association of SDA, 1892.

Waggonner E.J., *The Gospel in creation*, London, International Tract Society, 1893.

Kellogg J.H., *The Living temple*, Battle Creek, Michigan, Good Health Publishing Company, 1903.

Loughborough J.N., *The Great second Advent mouvement, its rise and progresse*, RHPA, 1905 (réédité par Arno Press, New York, 1973).

Bibliographie à caractère historique en français.

Desroches H., *Dieux d'hommes, dictionnaire des messianismes et millénarismes de l'ère chrétienne*, Paris-La Haye, Mouton, 1969.

Gerber R., *Le Mouvement adventiste : origine et développement*, sᴅᴛ, 1950.

Graz J., *Le Mouvement adventiste du septième jour : origine et développement*, mémoire Montpellier, Faculté des lettres et sciences humaines, 1974.

Hutin C., *Les Origines du mouvement adventiste en France (jusqu'en 1929-21)*, 3 vol., mémoire Collonges-sous Salève, Faculté adventiste de théologie, 1966.

Jubilé du Séminaire : 1921-1946, ɪꜰ, 1946.

Martin J.M., *Les Origines et l'implantation du mouvement adventiste du septième jour en France : 1876-1925*, diss. Paris, Faculté libre de théologie protestante, 1980.

Nouan P., *L'Adventisme : ses origines, sa raison d'être, sa doctrine*, s.l., s.n., 1960-1961.

Schori M., *Michael Belina Czechowski, et l'origine du mouvement adventiste en Suisse*, mémoire Collonges sous-Salève, Faculté adventiste de théologie, 1979.

Vanuxem N., *John Nevins Andrews, pionnier de l'Église adventiste du septième jour en Europe. Une étude du personnage et de sa théologie à travers ses articles parus dans les "Signes des Temps" de juillet 1876 à octobre 1883*, mémoire Strasbourg, Faculté de théologie protestante, 1986.

Vaucher A.F., *Un adventiste européen : M.-B. Czeckowski (1818-1876) vu et raconté par lui-même*, ɪꜰ, 1946.

Welter G., *Histoire des sectes chrétiennes des origines à nos jours*, Paris, Payot, 1950.

Bibliographie à caractère historique en anglais.

Schwarz R.W., *Light bearers to the remnant, denominational history textbook for Seventh-day Adventist College classes*, ᴘᴘᴘᴀ, 1979. Ouvrage de base pour quiconque veut avoir une vue d'ensemble de l'histoire de l'Église adventiste, 632 pages et 13 pages de bibliographie. Une orientation de lecture à la fin de chacune de ses 38 sections.

Arthur D.F., *Come out of Babylon, a study of Millerite separation and denominationalism, 1840-1865*, diss. University of Rochester, 1970.

Arthur D.F., *Joshua V. Himes and the Cause of Adventism, 1839-1845*, mémoire University of Chicago, 1961.

Balharrie G., *A Study of the contribution made to the Seventh-day Adventist mouvement by John Nevins Andrews*, mémoire Andrews University, 1949.

Ballenger A.F., *Cast out for the cross of Christ*, Riverside, California, s.d.

Beasley M.F., *Pressure group persuasion : Protestants and other Americans united for separation of Church and State, 1947-1968*, diss. Perdue University, 1970.

Brown W.H., *Brown exposes Ballenger*, sᴘᴀ, 1936.

Cason V., *H.M.S. Richard : Man alive !*, Glendale, California Freedom House, 1974.

Christian L. H., *Sons of the North and their share in the Advent mouvement*, PPPA, 1942.

Clark J.L., *1844, religious mouvement*, 3 vol., SPA, 1968.

Conradi L., *The Founders of the Seventh-day Adventist denomination*, Plainfield, New Jersey, American Sabbath Tract Society, 1939.

Cooper E.H., *The Great Advent mouvement*, RHPA, 1968.

Damsteegt P.G., *Foundations of the Seventh-day Adventist message and mission*, Grand Rapids, Michigan, Eerdmans, 1977.

Dick E.N., *William Miller and the Advent crisis, 1831-1844*, diss. University of Wisconsin, 1930.

Douty N.F., *The Case of D.M. Canright*, Grand Rapids, Michigan, Baker Book, 1964.

Everett D.N., *William Miller and the Advent crisis*, diss. University of Wisconsin, 1932.

Froom L.E., *Movement of destiny*, RHPA, 1971.

Froom L.E., *The prophetic faith of our fathers. The historical development of prophetic interpretation*, 4 vol., RHPA, 1946-1954.

Hammond R., *The Life and work of Uriah Smith*, mémoire Andrews University, 1944.

Hansen L.A., *From so small a dream*, SPA, 1968.

Herndon, *The seventh day and the story of the SDA*, New York, Mc Graw Hill Book Company, 1960.

Hetzell M.C., *The Undaunted. The story of the publishing work of Seventh-day Adventists*, PPPA, 1967.

Johnson C., *I was Canright's secretary*, RHPA, 1971.

Kubrock D., *Light through the shadows*, RHPA, 1953.

Leonard H. éd., *J.N. Andrews, the man and the mission*, AUP, 1985.

Linden I., *The Last trump. An historico-genetical study of some important chapters in the making and development of the Seventh-day Adventist church*, Frankfurt am Main, P. Lang, 1978.

Loughborough J.N., *The Great second Advent movement*, SPA, 1905.

Loughborough J.N., *Rise and progress of the Seventh-day Adventists*, Battle Creek, Michigan General Conference of SDA, 1892.

Martin W.R., *The Truth about Seventh-day Adventists*, Grand Rapids, Michigan Zondervan, 1960.

Maxwell C.M., *Tell it to the world*, PPPA, 1976.

Neufeld D.F. éd., *Seventh-day Adventist encyclopedia*, RHPA, 1966.

Nichol F.D., *The Midnight cry*, RHPA, 1944.

Ochs D. et G., *The Past and the Presidents*, SPA, 1974.

Olsen M.E., *A History of the origin and progress of Seventh-day Adventists*, RHPA, 1925.

Olson A.V., *Through crisis to victory, 1888-1901*, RHPA, 1966.

Pacific Union Conference of SDA, *A Reply to the Shepherd's Rod*, PPPA, 1934.

Patt J.M., *History of the Advent movement in Germany*, diss. Stanford University, 1958.

Paxton G.J., *The Shaking of Adventism*, Washington, 1977.

Pease N., *By faith alone*, PPPA, 1962.

Pierson R.H., *We still believe*, RHPA, 1975.

Research and Defense Literature Committee. General Conference of SDA, *The History and teaching of Robert Brinsmead*, RHPA, 1961.

Robertson J.J., *A.G. Daniells, the making of a General Conference President*, PPPA, 1977.

Robinson V., *James White*, RHPA, 1976.

Robinson E.M., *S.N. Haskell, man of action*, RHPA, 1967.

Schwarz R.W., *John Harvey Kellogg : American health reformer*, diss. University of Michigan, 1964.

Schwarz R.W., *John Kellogg, M.D.*, SPA, 1970.

Seventh-Day Adventist Defense Literature Committee. General Conference of SDA, *History and teaching of 'the Sheperd's rod'*, 1955 *Sixty years of progress : Walla Walla College*, Walla Walla, Washington, 1952.

Spalding A.W., *Footprints of the pioneers*, RHPA, 1947.

Spalding A.W., *Origin and history of Seventh-day adventists*, 2 vol. 1962 (réimpression de *Captain of the Host* et *Christ's last legion*, 4 vol., RHPA, 1948).

Spicer W.A., *Certainties of the Advent movement*, RHPA, 1929.

Spicer W.R., *Pioneer days of the Advent movement*, RHPA, 1946.

Syme R., *The Story of our church*, PPPA, 1956.

Tirpet H.M., *Pioneers stories retold*, RHPA, 1956.

Utt R., *A Century of miracles*, PPPA, 1963.

Vande Vere E.K., *Windows. Selected readings in Seventh-day Adventist History 1844-1922*, SPA, 1975.

Weniger C.E., *Critical analysis and appraisal of the public address of William Miller, early American second Advent lectures*, diss. University of Southern California, 1948.

Wilcox F.M., *Seventh-day Adventists in time of war*, RHPA, 1936.

Voir en outre : Mueller K.F., *Die Frühgeschichte der Siebenten Tags-Adventisten*, Hildesheim, Gerstenberg, 1977.

L'expansion missionnaire : ouvrages en français.

Beach R., *Vers les claires Mascareignes : un carnet de voyage missionnaire*, SdT, 1941.

Cupertino G., *Ecclésiologie et mission : étude sur la genèse de la mission adventiste (1844-1901)*, mémoire Collonges-sous-Salève, Faculté adventiste de théologie, 1984.

Évard H., *Des Années bien pleines : souvenir d'un missionnaire à l'île Maurice*, s.l., s.n., 1980.

Hasenger M., *Infirmière blanche en pays noir*, SdT, 1955.

Justino A., *L'Église adventiste du septième jour dans le contexte du christianisme en Angola*, mémoire Collonges-sous-Salève, Faculté adventiste de théologie, 1986.

Lengholf P., *Bounty le rescapé*, VS, 1983.

Ngandjui L., *Recherche sur l'incarnation d'un sensibilité et d'une force religieuses dans un espace camerounais à quatre fronts : de 1930 à nos jours*, mémoire Collonges-sous-Salève, Faculté adventiste de théologie, 1986.

Nkou J., *L'Église adventiste en Afrique noire. Historique. Analyse des problèmes qui se sont posés et qui se posent actuellement au mouvement adventiste en Afrique équatoriale francophone*, mémoire Collonges-sous Salève, Faculté adventiste de théologie, 1972.

Stahl F.A., *Au pays des Incas*, SdT, 1932.

Thomas D., *L'île des hommes oubliés*, SdT, 1984.

Wieland R.J., *Pour une meilleure Afrique*, SdT, 1965.

L'expansion missionnaire : ouvrages en anglais.

Amundsen, *The Advent message in inter-America*, RHPA, 1947.

Anderson W.H., *On the trial of Livingstone*, PPPA, 1919.

Branson W.H., *Missionary Adventures in Africa*, RHPA, 1927.

Brown W.J., *The Foundations of the seventh-day Adventist church in Austral South America, 1785-1912*, diss. University of Southern California, Los Angeles, 1953.

Cormack J., *Islands of Salomon*, RHPA, 1944.

Crisler C., *China's borderland and beyond*, RHPA, 1937.

Ellis A.E., *The Missionary idea*, PPPA, 1908.

Evans D., *From Japan with love*, PPPA, 1973.

Ford, *For the love of China*, PPPA, 1971.

General conference of SDA, Mission Board, *Outline of mission fields entered by seventh-day Adventists*, 1920[4].

Hagstotz G.D., *The Seventh-day Adventists in the British islands, 1878-1933*, Lincoln, Nebraska, Union College Press, 1936.

Halliwell L., *Light in the jungle*, SPA, 1959.

Hare E.B., *Fulton's footprints in Fiji*, RHPA, 1969.

Harley M., Wheeler R., *Pastor La Rue, the pioneer*, RHPA, 1937.

Historical sketches of the foreign mission of the seventh day Adventist church, Bâle, Imprimerie polyglotte, 1886.

Howell J.M., *Surely God leads*, PPPA, 1973.

Johnston M.S., *A Study of the reasons for early withdrawal of seventh-day Adventist missionaries between 1955 and 1974*, Report, Berrien Springs, Michigan, Andrews University, 1980.

Justiss J., *Angels in Ebony*, Toledo, Ohio, Jet printing service, 1975.

Lewis R.B., *Streams of light : the story of the Pacific Press*, PPPA, 1958.

Light in the jungle, SPA, 1959.

Loewen G., *Crusade for freedom*, SPA, 1969.

Maxwell A.S., *Under the southern cross*, SPA, 1966.

Oss J., *Mission Advance in China*, SPA, 1949.

Pfeiffer B.E., *The European Seventh-day Adventist mission in the Middle East 1879-1939*, Frankfurt-am-Main, P. Lang, 1981.

Pfeiffer B.E., *Seventh-day Adventist contributions to East Africa, 1903-1983*, Frankfurt-am-Main, P. Lang, 1985.

Pierson R.H., *Here comes Adventure : the story of Maranatha flights international*, RHPA, 1984.

Pioneering the message in the Golden West, PPPA, 1946.

Spalding A.W., *The Men of the mountains*, SPA, 1915.

Spicer W.A.,*Miracles of modern missions gathered out of the mission records*, RHPA, 1926.

Spicer W.A., *Our story of missions for Colleges and Academies*, PPPA, 1921.

Stewart A.G., *In letters of gold*, PPPA, 1973.

Stewart A.G., *Trophies from cannibal isles*, RHPA, 1956.

Stahl F.A., *In the land of the Incas*, PPPA, 1920.

Swanepoel L., *The Origin and early history of the seventh-day Adventist church in South Africa*, diss. University of South Africa, 1972.

Wangerin T.S., *God sent me to Korea*, RHPA, 1968.

Warren L.D., *Isles of opportunity*, RHPA, 1928.

Wattson C.H., *Cannibals and Head-hunters*, RHPA, 1926.

Westphal B., *These Fords still run*, PPPA, 1962.

Young R.A., *Mutining of the Bounty and story of Pitcairn Island 1790-1894*, PPPA, 1894.

DOCTRINE

Ouvrages en français
exposant les croyances des Adventistes du septième jour.

Il n'existe, à proprement parler, aucun ouvrage en français de dogmatique adventiste, et les livres exposant leur doctrine sont rares. Un manuel de cours du professeur A. Vaucher, *L'Histoire du salut : cours de doctrine biblique*, sdt, 1951, sert souvent de référence. Trois ouvrages de vulgarisation exposent de manière très accessible les grandes lignes de la doctrine adventiste :

A l'écoute de la Bible, sdt, 1982 (manuel d'étude de la Bible traitant plus de 140 sujets).

Gerber C., *Les Sentiers de la foi*, sdt, 1981 (une série de 44 études).

Hugedé N., *Le Christ oublié*, sdt, 1963[2] (un ouvrage d'approche sous forme d'entretiens).

On trouvera, en outre, quelques monographies :

Bacchiocchi S., *Du sabbat au dimanche : une recherche historique sur les origines du dimanche chrétien*, Paris, P. Lethielleux, 1984.

Bourquin Y., *L'Heure du Christ*, sdt, 1975.

Bourquin Y., *Ultimatum*, sdt, 1976.

Chaij F., *Préparation pour la crise finale*, vs, 1984.

Cottrel R.F., *Demain ? L'Apocalypse répond*, sdt, 1965.

Doukhan J., *Aux portes de l'espérance : essai biblique sur les prophéties de la fin*, vs, 1983.

Doukhan J., *Boire aux Sources*, sdt, 1977.

Flori J., Rasolofomasoandro H., *Évolution ou Création*, sdt, 1973.

Flori J., *Évolutionniste ou chrétien*, sdt, 1976.

Flori J., *Genèse ou l'Anti-mythe*, sdt, 1980.

Gerber C.H. *Le Christ revient*, sdt, 1949.

Hugedé N., *Ce Dieu qui nous parle*, Neuchâtel, Belle Rivière, 1979.

Hugedé N., *Le cas Teillard de Chardin*, Paris, Fischbacher 1966.

Hugedé N., *Mirages d'outre-tombe*, sdt, 1967.

Lanarès P., *Mystère d'Israël*, sdt, 1975.

Lanarès P., *Qui dominera le monde ?*, sdt, 1980[5].

Liénard L., *La divinité du Christ*, sdt, 1979.

Noack W., *Espérance sans illusions*, sdt, 1981.

Nouan P., *Le Septième jour signe de Dieu pour l'homme d'aujourd'hui*, sdt, 1979.

Ochs W.B., *Vérité pour notre temps*, sdt, 1963.

Poublan G., *Politique et Évangile*, sdt, 1980.

Prophétie et eschatologie, 2 vol., Collonges-sous-Salève, Séminaire adventiste du Salève, 1982.

Roullet Y., *Non, Dieu n'est pas mort*, VS, 1986.

Schwarzenau P., *Exposé sur la communauté des Adventistes du septième jour*, Servir 1, 1983.

Servir, Numéro spécial consacré à la croissance de l'Église, IF, 1981-1982.

Vaucher A.F., *L'Adventisme*, IF, 1962.

Vaucher A.F., *L'Antichrist*, IF, 1972.

Vaucher A.F., *Le Baptême : extraits sur divers aspects de la question*, IF, 1957.

Vaucher A.F., *Le Décalogue*, IF, 1963.

Vaucher A.F., *Deux essais sur la prophétie biblique*, IF, 1969.

Vaucher A.F., *Le jour du repos : extraits*, IF, 1963.

Vaucher A.F., *Le jour seigneurial*, IF, 1970.

Vaucher A.F., *Le Jugement*, IF, 1966.

Vaucher A.F., *Le problème de l'immortalité*, SdT, 1957.

Vaucher A.F., *Le problème d'Israël*, IF, 1961.

Vaucher A.F., *Les prophéties apocalyptiques et leur interprétation*, IF, 1972.

Vaucher A.F., *La Sainte Cène*, IF, 1965.

Vaucher A.F., *Le sanctuaire*, IF, 1970.

Vuillemier J., *Le jour du repos à travers les âges*, SdT, 1936.

Vuillemier J., *L'Apocalypse, hier, aujourd'hui, demain*, SdT, 1948[4].

Winandy P. éd., *Daniel, questions débatues*, Collonges sous-Salève, Séminaire Adventiste du Salève, 1980.

Zurcher J., *Le Christ de l'Apocalypse*, SdT, 1980.

Quelques contributions
d'Adventistes francophones à la recherche théologique et historique.

Archidec A., *Ferdinand Brunetière ou La Rage de croire*, diss. Université d'Aix-en-Provence, 1976.

Augsburger D., *Calvin et la loi de Moïse*, diss., Strasbourg, Faculté de théologie protestante, 1976.

Becerra E., *Le symbolisme de l'eau dans le quatrième évangile*, diss. Strasbourg, Faculté de théologie protestante, 1983.

Corbier E., *L'opposition entre la chair et l'esprit ou l'Anthropologie d'Emil Brunner à la lumière de la théologie biblique*, diss. Strasbourg, Faculté de théologie protestante, 1975.

Dederen R., *Un réformateur catholique au dix-neuvième siècle : Eugène Michaud (1839-1917)*, Genève, Droz, 1963.

Doukhan J., *L'hébreu en vie : langue hébraïque et civilisation prophétique : étude structurale*, diss. Strasbourg, Faculté des lettres, 1973.

Economou E.H., *L'Église orthodoxe grecque et l'inter-communion dans le cadre des rapprochements oecuméniques*, diss. Strasbourg, Faculté de théologie protestante, 1975.

Flori J., *L'idéologie du glaive : pré-histoire de la chevalerie*, Genève, Droz, 1983.

Graz J., *Radio-télévision : émissions protestantes*, diss. Paris, Sorbonne, 1986.

Hugedé N., *Commentaire de l'épître aux Colossiens*, Genève, Labor et Fides, 1968.

Hugedé N., *L'épître aux Éphésiens*, Genève, Labor et Fides, 1973.

Hugedé N., *La métaphore du miroir dans les épîtres de saint Paul aux Corinthiens*, Neuchâtel-Paris, Delachaux et Niestlé, 1957.

Lanares P., *La Liberté religieuse dans les conventions internationales et dans le droit public général*, Paris, Horvath, 1964.

Lehmann R., *La liberté des esclaves selon l'apôtre Paul : étude historique, exégétique et théologique*, diss. Strasbourg, Faculté de théologie protestante, 1976.

Lehmann R., *Épître à Philémon. Le Christianisme primitif et l'esclavage*, Genève, Labor et Fides, 1978.

Samson A., *L'hérésie colossienne à la lumière de l'apocalyptique juive et des écrits de Qumran*, diss. Strasbourg, Faculté de théologie protestante, 1977.

Sauvagnat B., *Devenir chrétien : étude des récits de conversion dans les Actes des apôtres*, diss. Strasbourg, Faculté de théologie protestante, 1977.

Treiyer A., *Le jour des expiations et la purification du sanctuaire*, diss. Strasbourg, Faculté de théologie protestante, 1982.

Vaucher A., *Une célébrité oubliée : le P. Manuel de Lacunza y Diaz (1731-1801) de la Société de Jésus, auteur de "La Venue du Messie en gloire et majesté"*, IF, 1968.

Verrecchia J.-C., *Le Sanctuaire dans l'épître aux Hébreux : étude exégétique de la section centrale*, diss. Strasbourg, Faculté de théologie protestante, 1981.

Winandy P., *Philologie de Daniel 9, 24-27*, diss. Paris : Sorbonne, 1977.

Zurcher J., *L'Homme, sa nature et sa destinée : essai sur le problème de l'union de l'âme et du corps*, Neuchâtel-Paris, Delachaux et Niestlé, 1953.

Ouvrages en anglais
exposant les croyances des Adventistes du septième jour.

Adams R., *The sanctuary doctrine : the approaches in the seventh-day Adventist church*, AUP, 1981.

Anderson R.A., *Unfolding the Revelation*, PPPA, 1953 (rééditions : 1963, 1974).

Andreasen M.-L., *The faith of Jesus and the commandments of Jesus and the commandments of God*, RHPA, 1939.

Andreasen M.-L., *The sanctuary service*, RHPA, 1937.

Andreasen N.-E., *The Old-Testament sabbath : a tradition historical investigation*, Chico, California, Scholars Press, 1972.

Andreasen N.-E., *Rest and redemption : a study of the biblical sabbath*, AUP, 1978.

Andreasen N.-E., *The christian use of time*, Nashville, Tennessee, Abingdon, 1978.

Bacchiocchi S., *The advent hope for human hopelessness : a theological study of the meaning of the second Advent for today*, Berrien Springs, Michigan, Biblical Perspectives, 1986.

Bacchiocchi S., *Divine rest for human restlessness : a theological study of the good news of the sabbath for today*, Berrien Springs, Michigan, 1980.

Bacchiocchi S., *From sabbath to sunday : a historical investigation of the rise of sunday observance in early christianity*, Rome, The Pontifical Gregorian University Press, 1977.

Badenas R., *Christ, the end of the law, Romans 10, 4 in Pauline perspective*, (Journal for the study of the New Testament Supplement Series 10), Sheffield, 1985.

Ball B.W., *The English connection : the puritan roots of seventh-day Adventist belief*, Cambridge, J. Clark, 1981.

Ball B.W., *A great expectation : eschatological thought in English protestantism to 1660*, Leiden, Brill, 1975.

Bible readings for the home, RHPA, 1963.

The Bible made plain : a series of short Bible studies for the home circle upon the fundamentals of the christian faith, RHPA, 1958.

Biblical Research Committee. General Conference of SDA, *The Brinsmead agitation*, RHPA, 1968.

Branson W.H., *Drama of the ages*, RHPA, 1950.

Brunt J.C., *A day of healing : the meaning of Jesus' sabbath miracles*, RHPA, 1981.

Chaij F., *The key to victory*, SPA, 1979.

Chaij F., *Preparation for the final crisis*, PPPA, 1966.

Coffin H., *Creation - accident or design ?*, RHPA, 1969.

Damsteegt P.G., *Foundations of the seventh-day Adventist message and mission*, Grand Rapids, Michigan, Eerdmans, 1977.

Daniells A.G., *Christ our righteousness*, RHPA, 1941.

Davidson R., *Typology in Scripture : a study of hermeneutical tupos structures*, AUP, 1981.

Davis M.J., *A Study of major declaration on the doctrine of atonement in seventh-day Adventist literature*, mémoire Andrews University, 1962.

Davis T.A., *Was Jesus really like us ?*, RHPA, 1979.

Dederen R., *Nature of the church*, supplément de Ministry 52/2, fév. 1978, 24B-24F.

Dederen R., *A Theology of ordination,* supplément de Ministry 52/2, fév. 1978, 24K-24P.

Dederen R., *Homosexuality : a biblical perspective,* Ministry, sept. 1981, 14-16.

Douglass H.E., *Why Jesus waits : how the sanctuary doctrine explains the mission of the seventh-day Adventist church,* RHPA, 1976.

Douglass H.E., *The End : the unique voice of Adventists about the return of Jesus,* PPPA, 1979.

Douglass H.E., *Faith : saying yes to God,* SPA, 1978.

Douglass H.E., Heppenstall E., Larondelle H.K., Maxwell C.M., *Perfection : the impossible possibility,* SPA, 1975.

Emmerson W.L., *The Bible speaks : containing one hundred forty-one readings systematically arranged for home and class study and answering nearly three thousand questions,* PPPA, 1949.

Fagal W.A., *By faith I live,* SPA, 1965.

Firth R.E. éd., *Servants for Christ : the Adventist church facing the '80s,* AUP, 1980.

Ford D., *The Abomination of desolation in biblical eschatology,* diss. University of Manchester, 1972.

Ford D., *Daniel,* SPA, 1978.

Ford D., *Daniel 8, 14, the day of atonement and the investigative jugment,* Casselberry, Florida, Evangelion Press, 1980.

Ford D., *The Forgotten day,* Newcastle, California, D. Ford publ., 1981.

Froom L.E., *The conditionalist faith of our fathers : the conflict of the ages over the nature and destiny of man ,* 2 vol., RHPA, 1965-1966.

Froom L.E., *Movement of destiny,* RHPA, 1971.

Froom L.E., *The prophetic faith of our fathers : the historical development of prophetic interpretation,* 4 vol., RHPA, 1946-1954.

Gane E.R., *The arian or anti-trinitarian views presented in seventh-day Adventist literature and the Ellen G. White answer,* mémoire Andrews University, 1963.

Gillespie V.B., *Religious conversion and personal identity : how and why people change,* Birmingham, Alabama, Religious Education Press, 1979.

Gladson J., *Who said life is fair ?,* RHPA, 1985.

Gordon P.A., *The Sanctuary, 1844, and the pioneers,* RHPA, 1983.

Guy F., *Affirming the reality of God : some observation,* dans *The Stature of Christ : essays in Honor of Edward Heppenstall,* s.l., s.n., 1970.

Haddock R., *History of the doctrine of the sanctuary in the Advent movement, 1800-1905,* mémoire Andrews University, 1970.

Hasel G.F., *Biblical interpretation today, an analysis of modern methods of biblical interpretation and proposals for the interpretation of the Bible as the word of God*, Lincoln, Nebraska, College View Printers, 1985.

Hasel G.F., *New Testament theology : basic issues in the current debate*, Grand Rapids, Michigan, Eerdmans, 1978.

Hasel G.F., *Old Testament theology : basic issues in the current debate*, Grand Rapids, Michigan, Eerdmans, 1975 (édition revue).

Hasel G.F., *The remnant : the history and theology of the remnant idea from Genesis to Isaiah*, AUP, 1980[3].

Hasel G.F., *Understanding the living word of God*, PPPA, 1980.

Haskell S.N., *The Cross and its shadow*, South Lancaster, Massachusetts, The Bible training school, 1914 (reprod. en facsimile, SPA, 1970).

Heppenstall E., *The Covenant and the law*, dans *Our Firm foundation : a report of the seventh-day Adventist Bible conference held september 1-13, 1952*, I, RHPA, 1953, 435-492.

Heppenstall E., *The Man who is God : a study of the person and nature of Jesus, son of God and son of man*, RHPA, 1977.

Heppenstall E., *Our high Priest : Jesus-Christ in the heavenly sanctuary*, RHPA, 1972.

Heppenstall E., *Salvation unlimited. Perspectives in righteousness by faith*, RHPA, 1974.

Holbrook F.B. éd., *70 Weeks, Leviticus, nature of prophecy* (Daniel and Revelation Committee Series 3), RHPA, 1986.

Holbrook F.B. éd., *Symposium on Daniel* (Daniel and Revelation Committee Series 2), RHPA, 1986.

Horn S., *The spade confirms the book*, RHPA, 1980.

House B.L., *Analytical studies in Bible doctrines for Seventh-day Adventist Colleges : a course in biblical theology*, Berrien Springs, Michigan, General Conference od SDA, 1928.

Hyde G.M. éd., *A Symposium on biblical hermeneutics*, Washington D.C. : General Conference of SDA, 1974.

Jemison T.H., *Christian beliefs*, PPPA, 1959.

Johnsen C., *Man the indivisible : totality versus disruption in the history of western thought*, Oslo, Universitetsforlaget, 1971.

Johnsson W.G., *Defilement and purgation in the book of Hebrews*, diss. Vanderbilt University, 1973.

Johnsson W.G., *Clean ! The meaning of christian baptism*, SPA, 1969.

Johnsson W.G., *In absolute confidence, the book of Hebrews speaks to our days*, SPA, 1979.

Kainer G., *Faith, hope and charity : a look at situation ethics and biblical ethics*, PPPA, 1977.

Kubo S., *God meets man : a theology of the sabbath and second coming*, SPA, 1978.

Kubo S., *The open rapture*, SPA, 1980.

Kubo S., *A Reader's Greek-English Lexicon of the New Testament and a beginner's guide for the translation of New Testament Greek*, Grand Rapids, Michigan, Zondervan, 1980.

Kubo S., *The theology and ethics of sex*, RHPA, 1980.

Kubo S., Specht W., *So many versions ? Twentieth Century English versions of the Bible*, Grand Rapids, Michigan, Zondervan, 1983.

Larondelle H.K., *Christ our salvation : what God does for us and in us*, PPPA, 1980.

Larondelle H.K., *The Israel of God in prophecy : principles of prophetic interpretation*, AUP, 1983.

Larondelle H.K., *Perfection and perfectionism : a dogmatic ethical study of biblical perfection and phenomenal perfectionism*, AUP, 1975.

Lickey E., *God speaks to modern man*, RHPA, 1952.

Londis J., *God's finger wrote freedom*, RHPA, 1978.

Lorenz F., *A study of early Adventist interpretation of the laodicean message with emphasis on the writings of Mrs E.G. White*, mémoire Andrews University, 1951.

Maxwell A.G., *Can God be trusted ?*, SPA, 1977.

Maxwell A.G., *You can trust the Bible*, PPPA, 1967.

Maxwell C.M., *God cares : the message of Daniel for you and your family*, PPPA, 1981.

Maxwell C.M., *God cares : the message of Revelation for you and your family*, PPPA, 1985.

Mazat A., *That friday in Eden : sharing and enhancing sexuality in marriage*, PPPA, 1981.

Mole R.L., *An inquiry into the time elements of the fifth and sixth trumpets of Revelation nine*, diss. Andrews University, 1957.

Nichol F.D., *Answers to objections : an examination of the major abjections raised against the teachings of* SDA, RHPA, 1952.

Nichol F.D., *Reasons for our faith : a discussion of questions vital to the proper understanding and effective presentation of certain seventh-day Adventist teachings* RHPA, 1947.

Nichol F.D., *The midnight cry*, RHPA, 1944.

Olson A.V., *Through crisis to victory : 1888-1901*, RHPA, 1966.

Olson R.W., *One hundred and one questions on the sanctuary and Ellen G. White*, Washington D.C., Ellen G. White Estate, 1981.

Oosterwal G., *Mission possible : the challenge of mission today*, SPA, 1972.

Osgood D.S., *Preparation for the latter rain*, SPA, 1973.

Paulsen J., *When the Spirit descends*, RHPA, 1977.

Pease N.F., *By faith alone*, PPPA, 1962.

Pease N.F., *The Good news : thirteen vital points of faith*, RHPA, 1982.

Pease N.F., *Heal the sick*, PPPA, 1972.

Pierson R.H., *Good-bye, planet earth*, PPPA, 1976.

Prescott W.W., *The Doctrine of Christ : a series of Bible studies for use in Colleges and Seminaries*, RHPA, 1920.

Price G.Mc C., *Genesis vindicated*, RHPA, 1941.

Price G.Mc C., *The New Geology*, PPPA, 1923.

Price G.Mc C., *The Time of the end*, SPA, 1967.

Provonsha J.W., *God is with us*, RHPA, 1974.

Provonsha J.W., *Is death for real ?*, PPPA, 1981.

Provonsha J.W., *You can go home again*, RHPA, 1982.

Questions on doctrine : Seventh-day Adventist answer : an explanation of certain major aspects of Seventh-day Adventist beliefs, RHPA, 1957.

Rice G.E., *Luke a plagiarist ? Is a writer who copied from others inspired ?*, PPPA, 1983.

Rice R., *Does God-talk make sense today ? Facing the secular challenge*, Spectrum 7/4. 40-45.

Rice R., *The openners of God : the relationship of divine forknowledge and human free will*, RHPA, 1980.

Rice R., *The Reign of God : an introduction to christian theology from a seventh-day adventist perspective*, AUP, 1985.

Ritland R.M., *Meaning in nature*, Washington D.C., General Conference of SDA, 1966.

Schwantes S.J., *The Biblical meaning of history*, PPPA, 1970.

Scriven C., *The demons have had it : a theological ABC*, SPA, 1976.

Seventh-Day Adventist Defense Literature Committee, *Seventh day adventists answer questions on doctrine*, RHPA, 1957.

Shankel G.E., *God and man in history : a study in christian understanding of history*, SPA, 1967.

Shea W.H., *Selected studies on prophetic interpretation* (Daniel and Revelation Committee Series 1), RHPA, 1982.

Smith U., *The Prophecies of Daniel and the Revelation*, SPA, 1944 (première édition : 2 vol., 1867-1873).

Smith U., *The Sanctuary and the twenty three hundred days of Daniel VIII, 14*, SPPA, 1877.

So much in common, Genève, World Council of Churches, 1973.

Spear B.R., *Cry aloud*, RHPA, 1973.

Staples R., *Must polygamists divorce ?*, Spectrum 13/1, 44-53.

Strand K.A., *Interpreting the book of Revelation*, Worthington, Ohio, Ann Arbor Publishers, 1979².

Strand K.A., *Perspectives in the book of Revelation*, Worthington, Ohio, Ann Arbor Publishers, 1975.

Strand K.A. éd., *The sabbath in scripture and history*, RHPA, 1982.

Thiele E.R., *The mysterious numbers of the Hebrew kings : a reconstruction of the chronology of the kingdoms of Israel and Judah*, University of Chicago Press, 1965.

Thiele E.R., *Outline studies in Revelation*, Angwin, California, chez l'auteur, s.d.

Thompson S., *The Apocalypse and semitic syntax*, Cambridge, Cambridge University Press, 1985.

Van Pelt N., *The compleat courtship*, SPA, 1982.

Van Pelt N., *The compleat marriage*, SPA, 1979.

Venden M.L., *Foundations for faith : a book at the distinctive beliefs of* SDA, PPPA, 1984.

Venden M.L., *The return of Elijah*, PPPA, 1982.

Venden M.L., *Salvation by faith and your will*, SPA, 1978.

Vick E.W.H., *Is salvation really free ?*, RHPA, 1983.

Vick E.W.H., *Jesus the man*, SPA, 1979.

Vick E.W.H., *Let me assure you : of grace, of faith, of forgiveness, of freedom, of fellowship, of hope*, PPPA, 1968.

Vick E.W.H., *Speaking well of God : a statement of the christian doctrine*, SPA, 1979.

Vick E.W.H., *Theological essays*, AUP, 1965.

Waggoner E.J., *Christ and his righteousness*, SPA, 1972.

Wallenkampf A.V., *New by the Spirit*, PPPA, 1978.

Wallenkampf A.V., Lesher W.R., *The Sanctuary and the atonement, biblical, historical and theological studies*, RHPA, 1981.

Walton L.R., *Decision at the Jordan*, RHPA, 1982.

Walton L.R., *Omega*, RHPA, 1981.

Wearner A.J., *Fundamentals of Bible doctrine : sixty studies in the basic facts of the everlasting gospel arranged for classes in Advanced Bible doctrines*, RHPA, 1945.

Weber M., *Some call it heresy*, RHPA, 1985.

Webster E.C., *Crosscurrents in Adventist christology*, Berne-Frankfort-on-the-Main, P. Lang, 1984.

Wheeler G.W., *The Two-taled dinosaur : why science and religion conflict over the origin of life*, SPA, 1975.

Wilcox M.C., *The King of the North*, PPPA, 1910.

Wittshiebe C., *God invented sex*, SPA, 1974.

Zurcher J.R., *Christ and the Revelation*, SPA, 1980.

Zurcher J.R., *The nature and destiny of man : essay on the problem of the union of the soul and the body in relation to the christian views of man*, New York, Philosophical library, 1969.

Voir en outre : Heinz H., *Dogmatik, Glaubenslehren der Heiligen Schrift*, Bern, Europäisches Institut für Fernstudium, 1978.

Mueller R., *Adventisten. Sabbat. Reformation. Geht das Ruhetagsverständnis der Adventisten bis zur Zeit der Reformation zurück ?*, diss. Lund, 1979.

ANTHOLOGIE

Ouvrages d'Ellen G. White en français.

Le colporteur évangélique, SdT, 1964.

Conquérants pacifiques, SdT, 1980.

Conseils à l'économe, PPPA, 1971.

Conseils sur la nutrition et les aliments, PPPA, 1972.

Éducation, SdT, 1976.

Enseigne-nous à prier, SdT, 1967.

Évangéliser, VS, 1986.

Le Foyer chrétien, SdT, 1978.

Instructions pour un service chrétien effectif, Paris-Bruxelles-Lausanne, Le Monde français, 1972.

Jésus-Christ, SdT, 1977.

Jésus et le bonheur : à l'écoute du maître, SdT, 1964 (déjà paru sous le titre *Heureux ceux qui...*, 1947).

Messages à la jeunesse, SdT, PPPA, 1968².

Messages choisis, 2 vol., PPPA, 1968-1971.

Ministère de la bienfaisance, SdT, 1970.

Le ministère évangélique, SdT, 1951.

Les paraboles de Jésus, SdT, 1977.

Patriarches et prophètes. SdT, 1975.

Pour mieux connaître Jésus-Christ, SdT, 1965.

Premiers écrits, PPPA, 1962.

Prophètes et rois, SdT, 1967.

Puissance de la grâce, SdT, 1975.

Rayons de santé, SdT, 1957 (cinquième édition refondue).

Témoignages pour l'Église, 3 vol., SdT, 1953-1955-1956.

Tempérance, SdT, 1973.

La tragédie des siècles, sdt, 1976.
Vers Jésus, sdt, 1975.

Textes originaux d'Ellen G. White.

Les ouvrages d'Ellen White ont connu plusieurs éditions sous des titres différents. Certaines éditions regroupent plusieurs volumes, d'autres en constituent des extraits. Enfin, divers ouvrages ne sont que des compilations de sentences extraites d'articles de revues ou de publications antérieures et regroupées autour de certains thèmes.

Pour une meilleure initiation du lecteur, nous avons classé les oeuvres d'Ellen White en langue anglaise dans l'ordre de leur parution.

Pour une analyse bibliographique extrêmement détaillée voir : *Comprehensive index to the writings of Ellen G. White*, vol. 3, PPPA, 1963, 3193-3210.

1851 *A Sketch of the christian experience and views of Ellen G. White*, Sartoga Springs, New York, J. White, 64pp. Récits autobiographiques.

1854 *Supplement to the experience and views of Ellen G. White*, Rochester, New York, J. White, 48pp. Explique certaines phrases mal comprises de l'édition précédente.

1855 *Testimony for the church*, 1, Battle Creek, Michigan, Advent Review Office, 16pp.

1856 *Testimony for the church*, 2, Battle Creek, Michigan, Advent Review Office, 16pp.

1857 *Testimony for the church*, 3, Battle Creek, Michigan, Advent Review Office, 16pp.

1857 *Testimony for the church*, 4, SPPA, 39pp. Conseils spirituels de nature générale et lettres d'instructions privées adressées à des membres de l'Église.

1858 *Spiritual gifts, Vol. 1, The Great controversy between Christ and his angels and Satan and his angels*, James White, SPPA, 219pp. Grande fresque de l'histoire du salut.

1859 *Testimony for the church*, 5, SPPA, 32pp.

1860 *Spiritual gifts, Vol.2, My christian experience, views and labor in connection with the rise and progress of the third angel's message*, James White, SPPA, 304pp. Un récit autobiographique avec de nombreux détails.

1861 *Testimony for the church*, 6, SPPA, 64pp.

1862 *Testimony for the church*, 7, SPPA, 63pp.

1862 *Testimony for the church*, 8, SPPA, 64pp.

1863 *Testimony for the church*, 9, SPPA, 32pp.

1864 *Testimony for the church*, 10, SPPA, 64pp.

1864 *An Appeal to the youth, funeral address of Henry N. White at Battle Creek, Mich., Dec. 21, 1863. Also a brief narrative of his life, experience, and last sickness. His mother's letter, etc.*, SPPA, 95pp. dont 40 par E.G. White.

1864 *Appeal to mothers relative to the great cause of the physical, mental and moral ruin of many of the children of our time*, SPPA, 64pp. Premiers écrits d'E.G. White après sa vision de juin 1863 sur la santé. Décrit les dangers des vices cachés.

1864 *Spiritual gifts, Vol. 3, Important facts of faith in connection with the history of Holy Men of Old*, SPPA, 304pp. Raconte l'histoire de la Bible depuis la création jusqu'au Sinaï.

1864 *Spiritual gifts, Vol 4, Important facts of faith : laws of health and testimonies*, SPPA, 318pp. Contient deux sections. La première est un récit de l'histoire biblique depuis le Sinaï jusqu'à Salomon. La seconde constitue un développement de la vision de 1863 sur la santé.

1865 *Health, or How to live*, SPPA, 296pp. dont 86 par E.G. White.

1867 *Testimony for the church*, 11, SPPA, 53pp.

1867 *Testimony for the church*, 12, SPPA, 96pp.

1867 *Testimony for the church*, 13, SPPA, 80pp.

1868 *Testimony for the church*, 14, SPPA, 102pp.

1868 *Testimony for the church*, 15, SPPA, 96pp.

1868 *Testimony for the church*, 16, SPPA, 104pp.

1869 *Testimony for the church*, 17, SPPA, 192pp.

1870 *Testimony for the church*, 18, SPPA, 208pp.

1870 *A Solemn appeal relative to solitary vice and abuses and excesses of the marriage relation*, 272pp. dont 111 par E.G. White.

1870 *Spirit of prophecy, Vol. 1, The Great controversy between Christ and his angels and Satan and his angels*, SPPA, 414pp. Amplification de *Spiritual gifts*, vol.3 et 4 de 1864. Commence avec la chute de Lucifer et s'achève à la venue du Messie.

1870 *Testimony for the church*, 19, SPPA, 96pp.

1871 *Testimony for the church*, 20, SPPA, 199pp.

1872 *Testimony for the church*, 21, SPPA, 200pp.

1872 *Testimony for the church*, 22, SPPA, 192pp.

1873 *Testimony for the church*, 23, SPPA, 116pp.

1874 *Redemption, or the Temptation of Christ in the wilderness*, SPPA, 96pp. Réédition des articles publiés dans les revues *Signs of the Times* et *Review and Herald*, de 1874 à 1875 présentant le récit de la tentation dans le cadre de l'origine du mal, la chute de l'homme et le plan de la rédemption.

1875 *Testimony for the church*, 24, SPPA, 192pp.

1875 *Testimony for the church*, 25, SPPA, 192pp.

1876 *Testimony for the church*, 26, SPPA, 208pp.

1876 *Testimony for the church*, 27, SPPA, 190pp.

1877 *Spirit of prophecy, Vol. 2, The Great controversy between Christ and Satan. Life, teachings, and miracles of our Lord Jesus Christ*, SPPA, 396pp. La vie de Christ de sa naissance à son entrée triomphale à Jérusalem.

1878 *Spirit of prophecy, Vol. 3, The Great controversy between Christ and Satan. The death, resurrection, and ascension of our Lord Jesus Christ*, SPPA, 392pp. L'édition de 1883 comprendra sous le même titre cinq chapitres sur la vie de Paul et l'ouvrage aura alors 442pp. Concerne essentiellement la vie de Jésus.

1879 *Testimony for the church*, 28, SPPA, 192pp.

1880 *Testimony for the church*, 29, SPPA, 192pp.

1880 *Life sketches, ancestry, early life, christian experience, and extensive labors of Elder James White and his wife, Mrs Ellen G. White*, SPPA, 416pp. dont deux cents par E.G. White. Reprend *Spiritual gifts*, vol. 2 de 1860 et l'élargit.

1881 *Testimony for the church*, 30, SPPA, 192pp.

1882 *Testimony for the church*, 31, RHPA et PPPA, 244pp.

1882 *Early writings of Ellen G. White*, RHPA et PPPA, 266pp. Reprise et augmentation de trois volumes précédents : *The Sketch of the christian experience and view of Mrs E.G. White*, de 1851, *Christian experience and views*, de 1854 et *Spiritual gifts*, vol. 1 de 1858. Trad. française : *Premiers écrits*.

1883 *Sketches from the life of Paul*, RHPA et PPPA, 334pp. Vie et enseignement de l'apôtre Paul.

1884 *Spirit of prophecy, Vol. 4, The Great controversy between Christ and Satan. From the destruction of Jerusalem to the end of the controversy*, RHPA et PPPA, 506pp. Ouvrage à caractère eschatologique retraçant l'histoire de l'Église chrétienne et les événements relatifs au retour du Christ.

1885 *Testimonies for the church*, RHPA et PPPA, 619pp. Réédition des *Testimonies for the church* 1-30 1885.

1885 *Testimony for the church*, 32, RHPA et PPPA, 238pp.

1886 *Historical sketches of the foreign missions of the Seventh-day Adventists. With reports of the European missionary council of 1883, 1884 and 1885, and a narrative by Mrs E.G. White of her visit and labors in these missions*, Bâle, Imprimerie polyglotte, 294pp. dont 120 d'E.G. White.

1888 *The Great controversy between Christ and Satan during the christian dispensation*, RHPA et PPPA, 678pp. Reprise et amplification du *Spirit of prophecy*, vol. 4 de 1884. Trad. française : *La tragédie des siècles*.

1889 *Testimony for the church*, 33, RHPA et PPPA, 288pp.

1889 *Testimonies for the church*, PPPA, 826pp. Rassemble *Testimony for the church* 31-33.

1890 *Christian temperance and Bible hygiene*. Battle Creek, Michigan, Good Health Publ., dont 155pp. par E.G. White. Compilation de divers écrits d'E.G. White sur la santé.

1890 *Patriarchs and prophets*, RHPA et PPPA, 754pp. Histoire du grand conflit depuis la chute de Lucifer jusqu'à la mort du roi David. Amplification de *Spiritual gifts*, vol. 3-4, 1864 et *Spirit of prophecy* vol. 1, 1870. Trad. française : *Patriarches et prophètes*.

1892 *Steps to Christ*, RHPA, 153pp. Le livre le plus lu d'E.G. White. Plus d'un million d'exemplaires vendus. Parle des étapes toutes simples d'une vie chrétienne victorieuse. Trad. française : *Vers Jésus*.

1892 *Gospel workers : instruction for the minister and the missionary*, RHPA, 480pp. Conseils largements extraits de *Testimonies*, 1-5 et d'autres sources. Sera augmenté dans d'édition de 1915 de conseils divers. Sorte de manuel du bon pasteur.

1893 *Christian education*, Battle Creek, Michigan, International Tract Society, 255pp. Une compilation d'instructions aux enseignants et aux parents.

1896 *Thoughts from the mount of blessing*, RHPA, 205pp. Commentaire du sermon sur la montagne. Trad. française : *Jésus et le bonheur*.

1897 *Healthful living (Instruction relating to the principles of healthful living), compiled from writings of Ellen G. White*, Battle Creek, Michigan, Medical missionary board, 284pp. Compilation de divers enseignements d'E.G. White sur la santé. Sera remplacé en 1905 par *The Ministry of healing*.

1898 *The Desire of Ages*, PPPA, 866pp. Amplification de *Spirit of prophecy* vol. 2-3. Centré sur la vie et l'enseignement de Jésus. Trad. française : *Jésus-Christ*.

1898 *The Southern work*, s.l., 115pp. Décrit les conditions de l'activité missionnaire en faveur des noirs des États du Sud. Une compilation à partir des écrits d'E.G. White.

1900 *Selection from the testimonies bearing on sabbath school work*, PPPA, 121pp. Selection d'articles sur la catéchèse.

1900 *Christ object lessons*, RHPA, 421pp. Les paraboles de Jésus et leurs leçons qui n'ont pu être introduites dans le volume *Desire of Ages* pour raison de place. Trad. française : *Les Paraboles de Jésus*.

1900 *Testimonies for the church*, VI, PPPA, 499pp. Réédition de *Testimony for the church* 34.

1902 *Manual for canvassers*, PPPA, 73pp. Compilation sous la direction de l'auteur pour les colporteurs.

1902 *Testimonies for the church*, VII, PPPA, 308pp. Réédition de *Testimony for the church* 35.

1903 *Education*, PPPA, 321pp. Remplace *Christian Education* de 1893. Trad. française : *Éducation*.

1904 *Testimonies for the church*, VIII, PPPA, 350pp. Réédition de *Testimony for the church* 36.

1905 *The Ministry of healing*, PPPA, 541pp. Remplace *Christian Temperance* (1890) et s'adresse au grand public pour présenter des principes de santé Trad. française : *Rayons de santé*.

1909 *Testimonies for the church*, IX, PPPA, 301pp. Réédition de *Testimony for the church* 37.

1911 *The Acts of the Apostles in the proclamation of the Gospel of Jesus-Christ*, PPPA, 602pp. Amplification de *Spirit of prophecy*, vol. 3, 1878 et de *Sketches from the life of Paul*, 1883. Commentaire du livre des *Actes des Apôtres*. Trad. française : *Conquérants pacifiques*.

1913 *Counsels to teachers, parents and students regarding christian education*, PPPA, 574pp. Traite en détail les méthodes que parents et éducateurs adventistes devraient employer pour assumer leurs responsabilités vis-à-vis des jeunes.

1915 *Gospel workers*, RHPA, 534pp. Édition augmentée de celle de 1892. Trad. française : *Le ministère évangélique*.

1915 *Life sketches of Ellen G. White*, PPPA, 254pp.

1917 *The Story of prophets and kings as illustrated in the captivity and restoration of Israel*, PPPA, 753pp. Ouvrage postume auquel ont été ajoutés les deux derniers chapitres. Traite de l'histoire d'Israël de David à la venue de Jésus. Trad. française : *Prophètes et rois*.

Oeuvres posthumes d'Ellen G. White.

En harmonie avec les instructions laissées par E.G. White, la fondation E.G. White, chargée de la gestion de son oeuvre littéraire a publié les ouvrages suivants constitués de compilations.

1920 *The Colporteur evangelist*, PPPA, 112pp. Amplification de l'ouvrage de 1902. Trad. française : *Le colporteur évangéliste*.

1922 *Christian experience and teachings of Ellen G. White*, PPPA, 268pp. Ouvrage biographique.

1923 *Fundamentals of christian education*, SPA, 576pp. Compilation d'articles sur l'éducation chrétienne.

1923 *Counsels on health*, PPPA, 697pp. Compilation d'articles sur la santé.

1923 *Testimonies to ministers and gospel workers*, PPPA, 544pp. Compilation d'articles pour le travail pastoral.

1925 *Christian service*, RHPA, 283pp. Instructions tirées d'oeuvres publiées et portant sur le témoignage chrétien. Trad. française : *Instructions pour un service chrétien effectif.*

1928 *Principles of true science*, Washington, College Press, 720pp. Compilation pour les professeurs.

1930 *Messages to young people*, SPA, 502pp. Compilation extraite de la revue *Youth's instructor* rassemblant des conseils aux jeunes. Trad. française : *Messages à la jeunesse.*

1932 *Medical ministry*, PPPA, 348pp. Compilation pour le corps médical.

1933 *Life and teachings of Ellen G. White*, PPPA, 128pp. Présentation d'Ellen G. White.

1936 *Selection from the Testimonies*, 3 vol., SPA, 1916pp. Contient environ le tiers des *Testimonies for the church.*

1937 *The sanctified life*, RHPA, 69pp. Sélection d'articles de la *Review and Herald* sur la vie chrétienne.

1938 *Counsels on diet and food*, RHPA, 511pp. Trad. française : *Conseils sur la nutrition et les aliments.*

1939 *Counsels on sabbath school work*, RHPA, 192pp. Amplification de l'ouvrage de 1900.

1940 *Counsels on stewardship*, RHPA, 372pp. Philosophie et principes de l'économat chrétien Trad. française : *Conseils à l'économe.*

1946 *Evangelism*, RHPA, 747pp. Ouvrage portant sur la proclamation de l'évangile. Trad. française : *Évangéliser.*

1946 *Counsels to writers and editors*, SPA, 192pp. Ou comment annoncer l'évangile par la presse, la radio et la télévision.

1946 *Country living*, RHPA, 32pp. Les privilèges de la vie rurale.

1946 *Radiant religion*, RHPA, 271pp. Livre de méditation quotidienne.

1947 *The story of redemption*, RHPA, 445pp. Recomposition de *Early writings* et *Spirit of prophecy* vol. 1, 2 et 4.

1948 *Testimonies for the Church*, PPPA, 1948. Édition en 9 vol. des 37 *Testimonies* d'E.G. White.

1949 *Story of Jesus*, SPA, réédition de *Christ our Saviour* de 1896.

1949 *Testimony treasures*, 3 vol., PPPA, 1771pp. Sélection des *Testimonies*. Trad. française : *Témoignages pour l'Église.*

1949 *Temperance*, PPPA, 309pp. Croisade contre les intempérances de toute sorte. Trad. française : *Tempérance.*

1950 *A call to medical evangelism and health education*, SPA, 47pp. L'évangélisation par l'éducation sanitaire.

1952 *Welfare ministry*, RHPA, 349pp. Ou comment être utile à ses voisins.

1952 *The adventist home*, SPA, 583pp. Conseils sur le foyer, le mariage, les enfants. Trad. française : *Le foyer chrétien*.

1952 *The remnant church*, PPPA, 72pp. Conseils sur la vie d'Église.

1952 *Highways to heaven*, RHPA. Réédition de *Christ's object lessons*, 1900.

1952 *My life today*, RHPA, 377pp. Livre de méditation quotidiennes.

1953 *Colporteur ministry*, PPPA, 176pp. Amplification de *Colporteur evangelist*.

1954 *Child guidance*, SPA, 616pp. Ouvrage sur l'éducation des enfants.

1955 *Sons and daughters of God*, RHPA, 383pp. Livre de méditations quotidiennes. Trad. française : *Puissance de la grâce*.

1958 *Selected messages*, I-II, RHPA, 448 et 512 pp. Instructions générales sur les sujets les plus divers tirées d'articles de périodiques et de manuscrits. Trad. française : *Messages choisis*.

1958 *Love unlimited*, PPPA, 282pp. Unit *Steps to Christ* (*Vers Jésus*) et *Thoughts from the mount of blessing* (*Jésus et le bonheur*).

1958 *The faith I live by*, RHPA, 384pp. Livre de méditations quotidiennes orienté sur les doctrines de l'Église adventiste.

1961 *Our high calling*, RHPA, 380pp. Livre de méditations quotidiennes.

1962 *Ellen G. White 'Present truth' and 'Review and Herald' articles*, 6 vol., RHPA. Reproduction en fac-similé d'articles écrits par E.G. White.

1963 *Comprehensive index to the writings of Ellen G. White, in three parts : Scripture index, topical index, quotation index*, PPPA, 3216pp.

1965 *I'd like to ask Sister White*, RHPA, 160pp. Citations d'E.G. White en réponse à des questions imaginaires d'une enfant.

1967 *In heavenly places*, RHPA, 383pp. Livre de méditations quotidiennes.

1969 *Christ in his sanctuary*, PPPA, 128pp. Extraits sur le thème du sanctuaire céleste.

1970 *Conflict and courage*, RHPA, 381pp. Livre de méditations quotidiennes.

1970 *The Seventh-day Adventist commentay : supplement - E.G. White comments*, RHPA, 692pp. Commentaires d'E.G. White sur les textes de la Bible.

1971 *Confrontation*, RHPA, 93pp. Reproduction partielle de *Spirit of prophecy*, vol. 2, 1877.

1974 *Ellen G. White 'Signs of the Times' articles*, 4 vol., RHPA. Reproduction en fac-similé d'articles.

1976 *Maranatha, the Lord is coming*, RHPA, 282pp. Livre de méditations quotidiennes.

1977 *Mind, character, and personality. Guidelines to mental and spiritual health*, 2 vol., SPA, 882pp. Les facteurs de développement de la personnalité.

1979 *Faith and works*, SPA, 122pp. Sermons et articles d'E.G. White.

1981 *Manuscripts releases from the files of the letters and manuscrips written by Ellen G. White*, Washington D.C., Ellen G. White Estate, 398pp.

1983 *Letters to young lovers*, PPPA, 94pp.
1983 *The publishing ministry as set forth in the writings of Ellen G. White*, RHPA.

Ouvrages en langue française sur Ellen G. White.

Tieche M., *L'Esprit de prophétie et ses enseignements*, Collonges-sous-Salève, Séminaire adventiste, s.d.
Ellen G. White et le don de prophétie, IF, 1966.

Ouvrages en langue anglaise sur Ellen G. White.

Battistone J., *The great controversy theme in E.G. White writings*, AUP, 1978.
Canright D.M., *Life of Mrs E.G. White*, Cincinnati, Standard Publishing Co, 1919.
Christian L.H., *The fruitage of spiritual gifts*, RHPA, 1947.
Coon R.W., *A gift of light*, RHPA, 1983.
Daniells A.G., *The abiding gift of prophecy*, PPPA, 1936.
Delafield D.A., *Ellen G. White in Europe 1885-1887*, RHPA, 1975.
Delafield D.A., *Ellen G. White and the Seventh-day Adventist church*.
Delafield D.A., *Angel over her tent*, SPA, 1969.
Douglas H.E., *What Ellen White has meant to me*, RHPA, 1973.
Ellen G. White 'Health Reformer' articles, 1866-1887, Payson, Arizona, Leaves of Autumn books, 1979.
Graybill R., *E.G. White and church race relation*, RHPA, 1970.
Hamel P., *Ellen White and Music*, RHPA, 1976.
Jemison T.H., *A prophet among you*, PPPA, 1955.
Knight G.R., *Myths in Adventism, an interpretative study of Ellen White. Education, and related issues*, RHPA, 1985.
Loma Linda messages, Payson, Arizona, Leaves of Autumn books, 1973.
Moore A.L., *Theology in crisis or Ellen G. White's concept of righteousness by faith as it relates to contemporary SDA issues*, diss. New York University.
Nichol F.D., *Ellen G. White and her critics : an answer to the major charges that critics have brought against Mrs Ellen G. White*, RHPA, 1951.
Nichol F.D., *Why I believe in Mrs E.G. White*, RHPA, 1964.
Noorbergen R., *E.G. White : prophet of destiny*, Canaan, Connecticut, 1972.
Noorbergen R., *Charisma of the spirit*, Washington D.C., 1974.
Notes and papers concerning Ellen G. White and the spirit of prophecy, Washington D.C., E.G. White Estate, General Conference of SDA, 1974[7].
Numbers R.H., *Prophetess of health. A study of E.G. White*, New York, 1976.
Olson W.R., *One hundred and one questions on the sanctuary and on Ellen G.*

White Washington D.C., E.G. White Estate, General Conference of SDA, 1981.

Rea W., *The White lie*, Turlock, California, M and R Publications, 1982.

Rebok D.E., *Believe his prophets*, RHPA, 1956.

Rebok D.E., *Divine guidance in the remnant of God's church*, The Original Watchman Publishing House, 1955.

Robertson J.J., *The White truth*, PPPA, 1981.

Robinson E.W., *Over my shoulder*, RHPA. 1982.

Ruskjer R.E., *Ellen G. White, prophet of the last days*.

Shaw H.J., *A rhetorical analysis of the speaking of Mrs E.G. White*, diss. University of Michigan, 1959.

Shaw H.H., *The speaking of E.G. White*, diss. Michigan State University, 1959.

Spicer W.R., *The gift of prophecy in the Seventh-day Adventist church*, RHPA, 1937.

Spicer W.A., *The spirit of prophecy in the Advent movement* RHPA, 1937.

Spirit of prophecy committee. General Conference of SDA, *Testimony countdown*, PPPA, 1976.

Taylor C.L., *Outline studies from the Testimonies*, South Lancaster, Massachusetts, South Lancaster Printing Co, 1925, RHPA, 1955.

Wheeler R., *His messenger*, RHPA, 1939.

White A.L., *The Ellen G. White writings*, RHPA, 1973.

White A.L., *Ellen G. White - the human-interest story*, RHPA, 1972.

White A.L., *Ellen G. White*, 6 vol., RHPA, 1982-1986.

White A.L., *Ellen G. White : messenger to the remnant*, RHPA, 1969.

Wilcox F.M., *The Testimony of Jesus : a review of the work and teaching of Mrs Ellen G. White*, RHPA, 1934.

Wisbey H.A., *Pioneer prophetess : the public universal friend*, Ithaca, New York, Cornell University Press, 1964.

Witness of the pioneers concerning the spirit of prophecy, Ellen G. White Estate, General conference of SDA, Washington D.C., 1961.

ART SACRÉ

Art in the SDA church, dans *Seventh-day Adventist encyclopedia*, RHPA, 1966, 67-69.

Bonzon A., *Communautés de 'professants. Elles construisent'*, Réforme 2118, 16 novembre 1985, 12.

Carr R.C., *The Archi-liturgical movement and the Seventh-day Adventist church*, mémoire Andrews University, 1975.

Zurita E., *Towards a theology of the Seventh-day Adventist meeting place, with a study of practical implications and applications thereof*, diss. Andrews University, 1984.

VIE SPIRITUELLE

Liturgie.

Hamel P., *The Christian and his music*, RHPA, 1973.
Hamel P., *Ellen White and music*, RHPA, 1976.
Hannum H., *Let the people sing*, RHPA, 1981.
Hannum H., *Music and worshinp*, SPA, 1969.
Holmes C.R., *Sing a new song : worship renewal for Adventists today*, AUP, 1984.
Pease N.F., *And worship him*, SPA, 1957.
Roustit A., *La prophétie musicale dans l'histoire de l'Humanité* (préface d'O. Messiaen), Paris, Horvath, 1970.

Ouvrages sur la santé en français.

Aguilar I., *Femme et mère*, SdT, 1972.
Aguilar T., *L'enfant et la santé*, SdT, 1979.
Basso D., *Conseils pratiques en cas de...*, I, SdT, 1980.
Basso D., Lagarde J.P., *Conseils pratiques en cas de...*, II, VS, 1984.
Carillon A., *Pour un bon usage des plantes*, VS, 1985.
Cooper K., *Oxygène à la carte*, VS, 1982.
Gerber Ch., *Cuisine et diététique*, SdT, 1963.
Hawley D., *Vivez, mais vivez donc !*, SdT, 1975.
Marty J., *Le savoir manger*, VS, 1983.
Marty J., *La santé dans la marmite.*
Muller H., *Votre santé*, SdT, 1962.
Nussbaum J., *Science et cuisine*, SdT, 1972.
Salee M., *Conseils du médecin*, SdT, 1965.
Schneider E., *La nature et votre santé*, SdT, 1976.
Schneider E., *Des plantes pour votre santé*, SdT, 1973.
Schneider E., *La santé par les aliments*, SdT, 1966.

Recherches sur la santé.

Nous proposons ici un inventaire des études faites sur la santé en prenant les Adventistes comme groupe témoin. Cette bibliographie est donnée dans un ordre chronologique.

Wynder E.L., Lemon F.R., *Cancer, coronary artery disease and smoking : a preliminary report on differences in incidence between Seventh-day Adventists and others*, Californian Medicine 89, 1958, 267-272.

Wynder E.L., Lemon F.R., Bross I.J., *Cancer and coronary artery disease among Seventh-day Adventists*, Cancer 1959, 1016-1028.

Donnely C.J., *A Comparative study of caries experience in Adventists and other children*, Public Health Report 76, 1961, 209-212.

Dysinger P.W., Lemon F.R., Crenshaw G.L., Walden R.T., *Pulmonary emphysema in a non-smoking population*, diss. Chest. 1963, 43, pp. 17-26.

Larsson E., Webb A.T., *Cancer survey : experiences in mass screening of cervical smears*, Obstetrics and Gynecology 22, 1963, 630-635.

Walden R.T., Shaefer L.E., Lemon F.R., Sunshine A., Wynder E L., *Effect of environment on the serum cholesterol-triglyceride distribution among Seventh-day Adventists*, American Journal of Medicine 36, 1964, 269-276.

Lemon F.R., Walden R.T., Woods R.W., *Cancer of the lung and mouth in Seventh-day Adventists : a preliminary report on a population study*, Cancer 17, 1964, 486-497.

Lemon F.R., Walden R.T., *Death from respiratory system disease among Seventh-day Adventists men*, Journal of American Medical Association 198, 1966, 117-126.

Mozar H.N., Farag S.A., Andren H.E., Peters J.R., *The Mental health of Seventh-day Adventists*, Medical Arts Sciences 1967, 21, 59-66.

West R.O., Hayes O.B., *Diet and serum cholesterol levels : a comparison between vegetarians and nonvegetarians in a Seventh-day Adventist group*, American Journal of Clinical Nutrition 21, 1968, 853-862.

Lemon F.R., Kuzma J.W., *A biologic cost of smoking : decreased life expectancy*, Archives of Environmental Health 18, 1969, 950-955.

Cohen C.A., Hudson A.R., Clausen J.L., Knelson J.H., *Respiratory symptoms, spirometry, and oxidant air pollution in nonsmoking adults*, American Review of Respiratory Diseases 105, 1972, 251-261.

Kuzma J.W., Dysinger P.W., Strutz P., Abbey D., *Nonfatal traffic accidents in relation to biographical, psychological, and religious factors*, Accidental Analysis Prevision 1973, 5, 55-65.

Armstrong B.K., Davis R.E., Nicol D.J., Van Merwyk A.J., Larwood C.J., *Hematological, vitamin B12, and folate studies on Seventh-day Adventist vegetarians*, American Journal of Clinical Nutrition 27, 1974, 712-718.

Darnell C., *Obesity and vegetarism in Seventh-day Adventist women*, diss. Loma Linda University, 1975.

Phillips R.L., Lemon F.R., Hammond.C., *Coronary heart disease mortality among Seventh-day Adventists with differing dietary habits*, Abstract American Public Health Association Meeting, Chicago, 16-20 nov. 1975.

Phillips R.L., *Role of lifestyle and dietary habits in risk of cancer among Seventh-day Adventists*, Cancer Research 1975, 35 supplement, 3513-3522.

Ruys J., Hickie J.B., *Serum cholesterol and triglyceride levels in Australian adolescent vegetarians*, British Medical Journal 2, 1976, 87.

Phillips R.L., Kuzma J.W., *Estimating major nutrient intake from self-administered food frequency questionnaires*, (*Abstract*), American Journal of Epidemiology 104, 1976, 354-355.

Taylor C.B., Allen E.S., Mikkelson B., HO K., *Serum cholesterol levels of Seventh-day Adventists*, Arterial Wall 3, 1976, 175-179.

Phillips R.L., Kuzma J.W., *Rationale and method for an epidemiologic study of cancer among Seventh-day Adventists*, National Cancer Institute Monographs 47, 1977, 107-112.

Armstrong B., Van Merwyk A.J., Coates H., *Blood pressure in Seventh-day Adventist vegetarians*, American Journal of Epidemiology 105, 1977, 444-449.

Goldberg M.J., Smith J.W., Nichols R.L., *Comparison of the fecal microflora of Seventh-day Adventists with individuals consuming a general diet : implications concerning colonic carcinoma*, Annals of Surgery 186, 1977, 97-100.

Finegold S.M., Sutter V.L., Sugihara P.T., Elder H.A., Lehmann S.M., Phillips R.L., *Fecal microbial flora in Seventh-day Adventist populations and control subjects*, American Journal of Clinical Nutrition 30, 1977, 1781-1792.

Phillips R.L., Lemon F.R., Beeson W.L., Kuzma J.W., *Coronary heart disease mortality among Seventh-day Adventists with differing dietary habits : a preliminary report*, American Journal of Clinical Nutrition 31 supplement, 1978, s191-s198.

Piquard-Badina E., *Régime normal et régime végétarien. Incidences pathologiques*, diss. Montpellier, 1978.

MacDonald I.A., Webb G.R., Mahony D.E., *Fecal hydroxysteroid dehydrogenase activities in vegetarian Seventh-day Adventists, control subjects, and bowel cancer patients*, American Journal of Clinical Nutrition 31 supplement, 1978, s233-s238.

Finegold S.M., Sutter V.L., *Fecal flora in different populations, with special reference to diet*, American Journal of Clinical Nutrition 31 supplement, 1978, s116-s122.

Simons L.A., Gibson J.C., Paino C., Hosking M., Bullock J., Trim J., *The influence of a wide range of absorbed cholesterol on plasma cholesterol levels in man*, American Journal of Clinical Nutrition 31, 1978, 1334-1339.

Webster I.W., Rawson G.K., *Health status of Seventh-day Adventists*, Medical Journal of Australia 1, 1979, 417-420.

Berkel J., *The clean life : some aspects of nutritional and health status of Seventh-day Adventists in the Netherlands*, Amsterdam, Drukkerij Insulinde, 1979.

Smith S., Shultz T., Ross J., Leklem J., *Nutrition and cancer attitudes and knowledge of Seventh-day Adventists*, (*Abstract*) Federal Proceeding 38, 1979, 713.

Enstrom J.E., *Cancer mortality among low-risk populations*, Cancer Journal for Clinicians 29, 1979, 352-361.

Scharffenberg J.A., *Problems with meat*, Santa Barbara, California, Woodbridge Press, 1979.

Armstrong B., Clarke H., Martin C., Ward W., Norman N., Masarei J., *Urinary sodium and blood pressure in vegetarians*, American Journal of Clinical Nutrition 32, 1979, 2472-2476.

Marsh A.G., Sanchez T.V., Mickelsen O., Keiser J., Mayor G., *Cortical bone density of adult lacto-ovo-vegetarian and omnivorous women*, Journal of the American Dietetic Association 76, 1980, 148-151.

Phillips R.L., *Cancer among Seventh-day Adventists*, Journal of Environmental Pathology and Toxicology 3, 1980, 157-169.

Phillips R.L., Kuzma J.W., Lotz T.M., *Cancer mortality among comparable members versus nonmembers of the Seventh-day Adventist church* dans J. Cairns, J.L. Lyon, M. Skolnik éd., *Cancer Incidence in Defined Populations* (Banbury Report 4), New York, Cold Spring Harbor Laboratory, 1980, 93-108.

Phillips R.L., Garfinkel L., Kuzma J.W., Beeson W.L., Lotz T.L., Brin B., *Mortality among California Seventh-day Adventists for selected cancer sites*, Journal of the National Cancer Institute 65, 1980, 1097-1107.

Phillips R.L., Kuzma J.W., Beeson W.L., Lotz T., *Influence of selection versus lifestyle on risk of fatal cancer and cardiovascular disease among Seventh-day Adventists*, American Journal of Epidemiology 112, 1980, 296-314.

Reddy B.S., Sharma C., Darby L., Laakso K., Wynder E.L., *Metabolic epidemiology of large bowel cancer : fecal mutagens in high- and low-risk population for colon cancer : a preliminary report*, Mutation Research 72, 1980, 511-522.

Reddy B.S., Sharma C., Wynder E., *Fecal factors which modify the formation of fecal co-mutagens in high- and low-risk population for colon cancer*, Cancer Letters 10, 1980, 123-132.

Harris R.D., Pphilips R.L., Williams P.M., Kuzma J.W., Fraser G.E., *The Child-adolescent blood pressure study : I. Distribution of blood pressure levels in Seventh-day Adventist and non-seventh Day Adventist children*, American Journal of Public Health 71, 1981, 1342-1349.

Fraser G.E., Swannell R.J., *Diet and serum cholesterol in Seventh-day Adventists :*

a cross-sectional study showing significant relationships, Journal of Chronical Diseases 34, 1981, 487-501.

Insel P.M., Fraser G.E., Phillips R.L., Williams P.M., Psychosocial factors and blood pressure in children, Journal of Psychosomatic Research 25, 1981, 505-511.

Kuzma J.W., Beeson W.L. The Relationship of lifestyle characteristics to mortality among California Seventh-day Adventists. Proceedings of the 18th National Meeting of the Public Health Conference on Records and Statistics, DHHS Publication (PHS) 81-1214, 1981.

Waaler H., Hjort P.F., Hoyere levealder hos norske Adventister 1960-1977, Et budskap om livsstil og helse ?, Tidsskrift Norsk Laegeforen 101, 1981, 623-627.

Shultz T.D., Comparative nutrient intake and biochemical interrelationships among healthy vegetarian and nonvegetarian Seventh-day Adventists, nonvegetarians, and hormone-dependent cancer subjects, Dissertation Abstracts 41, 1981, 4068-B.

Fraser G.E., Jacobs D.R. Jr, Anderson J.T., Foster N., Palta M., Blackburn H., The Effect of various vegetable supplements on serum cholesterol, American Journal of Clinical Nutrition 34, 1981, 1272-1277.

Sanchez A., Kissinger D.G., Phillips R.L., A Hypothesis on the etiological role of diet on age of menarche, Medical Hypothesis 7, 1981, 1339-1345.

Armstrong B.K., Brown J.B., Clarke H.T., Crooke D.K., Hahnel R., Masarei J.R., Ratajczak T., Diet and reproductive hormones : a study of vegetarian and nonvegetarian postmenopausal women, Journal of the National Cancer Institute 61, 1981, 761-767.

Shultz T.D., Leklem J.E. éds, Urinary 4-pyridoxic acid, urinary vitamin B-6 and plasma pyridoxal phosphate as measures of vitamin B-6 nutrition : analysis and status assessment, New York, Plenum Press, 1981, 297-320.

Gray G.E., Williams P., Gerkins V., Brown J.B., Armstrong B. Phillips R.L., Casagrande J.T., Pike M.C., Henderson B.E., Diet and hormone levels in Seventh-day Adventist girls, Preventive Medicine 11, 1982, 103-107.

Snowdon D.A., Phillips R.L., Kuzma J.W., Age at baptism into the Seventh-day Adventist church and risk of death due to ischemic heart disease - A preliminary report, dans V.R. Hunt, M.K. Smith, D. Worth éd., Environmental effects on maturation. (Banbury Report 11), New York, Cold Spring Harbor Laboratory, 1982, 465-472.

Turjman N., Guirdry C., Jaeger B., Mendeloff A.I., Calkins B., Phillips R.L., Nair P.P., Fecal bile-acids and neutral sterols in Seventh-day Adventists and the general population in California, dans H. Kasper, H. Goebell éd., Colon and Nutrition (Falk Symposium 32), Lancaster, England, MTP Press, 1982, 291-297.

Rouse I.L., Armstrong B.K., Beilin L.J., *Vegetarian diet, lifestyle and blood pressure in two religious populations*, Clinical Experiments in Pharmacology and Physiology, 9, 1982, 327-330.

Ferguson L.R., Alley P.G., *Faecal mutagens from population groups within New Zealand at different risk of colorectal cancer*, dans M. Sorsa, H. Vainio éd., *Mutagens in our environment*, New York, A.R. Liss, 1982, 423-429.

Fraser G.E., Phillips R.L., Harris R., *Physical fitness and blood pressure in school children*, Circulation 67, 1983, 405-412.

Shultz T.D., Leklem J.E., *Selenium status of vegetatians, nonvegetarians: and hormone-dependent cancer subjects*, American Journal of Clinical Nutrition 37, 1983, 114-118.

McEndree L.S., Kies C.V., Fox H.M., *Iron intake and iron nutritional status of lacto-ovo-vegetatian and omnivore students eating in a lacto-ovo-vegetarian food service*, Nutritional Report International 27, 1983, 199-206.

Marsh A.G., Sanchez T.V., Chaffee F.L., Mayor G.H., Mickelsen O., *Bone mineral mass in adult lacto-ovo-vegetarian and omnivorous males*, American Journal of Clinical Nutrition 37, 1983, 453-456.

Phillips R.L., Snowdon D.A., *The association of meat and coffee with cancers of the large bowel, breast, and prostate among Seventh-day Adventists – preliminary results*, Cancer Research 43 supplement, 1983, S2403-S2408.

Jensen O.M., *Cancer risk among Danish male Seventh-day Adventists and other temperance society members*, Journal of the National Cancer Institution 70, 1983, 1011-1014.

Rouse I.L., Armstrong B.K., Beilin L.J., *The relationship of blood pressure to diet and lifestyle in two religious groups*, Journal of Hypertension 1, 1983, 65-71.

Phillips R.L., Snowdon D.A., Brin B.N., *Cancer in vegetarians*, dans E.L. Wynder, G.A. Leveille, J.H. Weisburger, G.E. Livingstone éd., *Environmental aspects of cancer – the role of macro and micro components of foods*, Westport, Connecticut, Food and Nutrition Press, 1983, 53-72.

Shultz T.D., Leklem J.E., *Nutrient intake and hormonal status of premenopausal vegetarian Seventh-day Adventists and premenopausal nonvegetarians*, Nutrition and Cancer 4, 1983, 247-259.

Snowdon D.A., *Epidemiology of aging : Seventh-day Adventists – a bellwether for futur progress*, dans W. Regelson, F.M. Sinex éd., *Intervention in the aging process*, New York, A. R. Liss, 1983, 141-149.

Shultz T.D., Leklem J.E., *Dietary status of Seventh-day Adventists and nonvegetarians*, Journal of the American Dietetic Association 83, 1983, 27-33.

Berkel J., Dewaard F., *Mortality pattern and life expectancy of Seventh-day*

Adventists in the Netherlands, International Journal of Epidemiology 12, 1983, 455-459.

Semmens J.B., Rouse I.L., Beilin L.J., Masarei J.R.L., *Relationship of plasma HDL-cholesterol to testosterone, estradiol, and sex-hormone-binding globulin levels in men and women*, Metabolism 32, 1983, 428-432.

Semmens J.B., Rouse I.L., Beilin L.J., Masarei J.R.L., *Relationships between age, body weight, physical fitness and sex-hormone-binding globulin capacity*, Clin. Chim Acta. 133, 1983, 295-300.

Phillips R.L., Dewey H.G., Beeson W.L., Brin B.N., Mathews C.P., Hirst A.E., Kuzma J.W., *Mortality experience of physicians with differing lifestyles*, (accepté en 1983 par le New England Journal of Medicine ; révision en cours).

Davidson L., Vandongen R., Rouse, I.L., Beilin L.J., Tunney A., *Sex-related differences in resting and stimulated plasma noradrenaline and adrenaline*, Clinical Science 67, 1984, 347-352.

Rouse I.L., Beilin L.J., Armstrong B.K., Vandogen R., *Vegetarian diet, blood pressure and cardiovascular risk*, Australian and New Zealand Journal of Medicine 14, 1984, 439-443.

Masarei J.R.L., Rouse I.L., Lunch W.J., Robertson K., Vandongen R., Beilin L.J., *Vegetarian diets, lipids and cardiovascular risk*, Australian and New Zealand Journal of Medicine 14, 1984, 400-404.

Shultz T.D., Leklem J.E., *Vitamin B6 status of Seventh-day Adventist vegetarians, nonvegetarians, and hormone dependent cancer subjects (Abstract)*, Federation of the American Society for Experimantal Biology, 1984.

Cooper R., Allen A., Goldberg R., Trevisan M., Van Horn L., Liu K., Steinhayer M., Rubenstein A., Stamler J., *Seventh-day adventist adolescents – life-style patterns and cardiovascular risk factors*, Western Journal of Medicine 140, 1984, 471-477.

Zollinger T.W., Phillips R.L., Kuzma J.W., *Breast cancer survival rates among Seventh-day Adventists and non-Seventh-day Adventists*, American Journal of Epidemiology 119, 1984, 503-509.

Kahn H.A., Phillips R.L., Snowdon D.A., Choi W., *Association between reported diet and all-cause mortality. Twenty-one-year follow-up on 27,530 adult Seventh-day Adventists*, American Journal of Epidemiology 119, 1984, 775-787.

Snowdon D.A., Phillips R.L., *Coffee consumption and risk of fatal cancers*, American Journal of Public Health 74, 1984, 820-823.

Snowdon D.A., Phillips R.L., Choi W., *Diet, obesity and risk of fatal prostate cancer*, American Journal of Epidemiology 120, 1984, 244-250.

Calkins B.M., Whittaker D.J., Rider A.A., Turjman N. et.al., *Diet, nutrition intake, and metabolism in populations at high and low risk for colon cancer...* (12 articles), American Journal of Clinical Nutrition 40 supplément, 1984, 887-951.

Calkins B.M., *The Consumption of fiber in vegetarians and non-vegetarians : a review*, dans G. Spiller éd., *Handbook of Dietary Fiber and Nutrition*, Boca Raton, Florida, CRC Press, 1984.

Snowdon D.A., Phillips R.L., Fraser G.E., *Meat consumption and fatal ischemic heart disease*, Preventive Medicine 13, 1984, 490-500.

Snowdon D.A., Sumbureru D., Kuzma J., *Bereavement and risk of death from major causes among Seventh-day Adventists,* American Journal of Epidemiology 120, 1984, 480 (abstract ; l'article a été accepté en 1984 par le même journal).

Hodgkin J.E., Abbey D.E., Euler G., Magie A.R., COPD *prevalence in nonsmokers in high and low photochemical air pollution areas*, Chest 86, 1984, 830-838.

Phillips R.L., Snowdon D.A., *Dietary relationships with fatal colorectal cancer among Seventh-day Adventists*, Journal of the National Cancer Institute 74, 1985, 307-317.

Snowdon D.A., Phillips R.L., *Does a vegetarian diet reduce the occurrence of diabetes ?*, American Journal of Public Health 75, 1985, 507-512.

Lipkin M., Uehara K., Winawer S., Sanchez A., Bauer C., Phillips R.L., Lynch H.T., Blattner W.A., Fraumeni J.F., *Seventh-day Adventist vegetarians have a quiescent proliferative activity in colonic mucosa*, Cancer Letters 26, 1985, 139-144.

Howie B.J., Shultz T.D., *Dietary and hormonal interrelationships among vegetarian Seventh-day Adventist and non-vegetarian men*, American Journal of Clinical Nutrition 38, 1985.

Abbey D.E., Euler G.L., Magie A.R., Hodgkin J.E., *Use of multivariate analyses and cumulative exposure indices to ascertain the relationship of respiratory symptoms to longterm exposure to air pollution and secondhand cigarette smoke*, dans *Computers and Medicine*, 1985.

Mack T.M., Berkel H., Bernstein L., Mack W., *Religion and cancer in Los Angeles County*, National Cancer Institute Monographs, 1985.

Kuratsune M., Ikeda M., Hayashi T., *Epidemiologic studies on possible health effects of intake of pyrolysates of foods, with reference to mortality among Japanese Seventh-day Adventists*, Environmental Health Perspectives, 1985.

Repace J.L., Lowrey A.H., *A quantitative estimate of non-smokers' lung cancer risk from passive smoking*, Environmental International 11, 1985, 3-22.

Snowdon D.A., *Diet and ovarian cancer. Letter to the Editor*, Journal of the American Medical Association 254, 1985, 356-357.

Register U.D., *The Seventh-day Adventist diet and life-style and the risk of major degenerative disease*, dans J.R. Morin éd., *Frontiers in longevity research – Applications of nutritional and other discoveries in the prevention of the age-related disorders*, Springfield, Illinois, C.C. Thomas, 1985, 74-82.

Fonnebo V., *The Tromso heart study : coronary risk factors in Seventh-day Adventists*, American Journal of Epidemiology 122, 1985, 789-793.

Phillips R.L., Snowdon D.A., *Mortality among Seventh-day Adventists in relation to dietary habits and lifestyle*, American Chemical Society, 1986.

PROFIL SOCIOLOGIQUE

Henriot J.J., *L'enfant, l'image et les média*, SdT, 1982.

Lanares P., *Les secrets de l'amour*, SdT, 1968.

Tieche M., *L'éducation portera ses fruits*, SdT, 1966.

Tieche M., *Guide de formation personnelle*, SdT.

Tieche M., *Guide pratique d'éducation familiale*, SdT, 1976.

Tieche M., *Vivre : à la recherche d'un art qui se perd*, SdT, 1965.

Vandevelde G., *Pour l'amour de l'autre : Bible et sexualité*, Bruxelles, 1984.

ORGANISATION

Présence au monde.

Coffin R., *Approche sociologique d'un groupe minoritaire religieux - l'Église adventiste en France*, diss. Strasbourg, Faculté de théologie protestante, 1981.

Servir, numéro spécial consacré au Séminaire sur la croissance de l'Église, IF, 1981-82.

Andross M.E., *Missionary volunteers and their work*, RHPA, s.d.

Beach B.B., *Ecumenism : Boon or Bane*, RHPA, 1974.

Beach B.B., *Vatican II : bridging the Abyss*, RHPA, 1968.

Blandre F., Mayer J.F., Martin J.-M., *En marche vers la fin du monde. Les Adventistes*, Notre Histoire 29, déc. 1983, 33-43.

Bouvier D., *Attitudes of French Seventh-day Adventists toward Seventh-day Adventist schooling and education*, diss. Loma Linda University, 1984.

Brown W.J., *Chronology of Seventh-day Adventist education*, Washington D.C., General Conference of SDA, 1972.

Cadwallader E.M., *A history of SDA education*, Lincoln, Nebraska, College Press, 1958.

Davis R., *Conscientious cooperators : the SDA and military service, 1860-1945*, diss. George Washington University, 1970.

Firth R.E. éd., *Servants for Christ*, AUP, 1980.

Graybill R., *Mission to black America*, PPPA, 1971.

Lee J.M., *Compendium of city-outpost evangelism*, Loma Linda, California, 1976.

Oosterwal G., *Modern messianic movements as a theological and missionary challenge*, Scottdale, Herald Press, 1977.

Oosterwal G., *Patterns of Seventh-day Adventist church growth in America*, AUP, 1976.

Oosterwal G., Wallace E., *Student missionary orientation manual*, Washington D.C., General Conference of SDA, 1972.

Robinson D.E., *The story of our health message*, SPA, 1943.

Schaefer R.A., *Legacy : the heritage of a unique international medical outreach*, PPPA, 1977.

Syme E., *Seventh-day Adventist concepts on church and state,* diss. American University, 1969.

Theobald, R., *The role of charisma in the development of social movements*, Archives des Sciences sociales des religions 49/1, janvier-mars 1980, 83-100.

Theobald, R., *The politicization of a religion movement : British Adventism under the impact of West Indian immigration*, The British Journal of Sociology 32/2, 1981, 202-223.

Theobald, R., *From rural populism to practical christianity : the modernization of the Seventh-day Adventist movement*, Archives des Sciences sociales des religions, 60/1, juillet-septembre 1985, 109-130.

Vyhmeister N.J., *Go ! A Student missionary manual*, Washington D.C., General Conference of SDA, 1984.

Walter E.C., *A History of Seventh-day Adventist higher education in the United States*, diss. University of California, 1966.

Weeks H.B., *Adventist evangelism in the twentieth century*, RHPA, 1969.

Administration : ouvrages en français.

Manuel d'Église, édition française de l'ouvrage Church manual, révisé en 1981 par la Conférence générale des Adventistes du septième jour, VS, 1983.

Manuel du prédicateur, Le Mée sur Seine, Association pastorale, Union Franco-belge des Adventistes, s.d.

Manuel du pasteur Adventiste, édition française de l'ouvrage Manual for ministers publié en 1954 par la Conférence générale des Adventistes du septième jour, Port-au-Prince, Haïti, Imprimerie du Séminaire adventiste franco-haïtien, 1961.

Topalov, A.-M., *L'Église adventiste du septième jour. Organisation interne,* Praxis juridique et religion 3, 1986, 147-157.

Administration : ouvrages en anglais.

Anderson C.D., *The history and evolution of Seventh-day Adventist church organisation*, diss. American University, 1960.

Beach W.R. et B.B., *Pattern for progress, the role and function of church organization*, RHPA, 1985.

Bera O., *The Work of the pastor*, SPA, 1966.

Brown W.J., *A Handbook for Seventh-day Adventist school administrator*, Washington D.C., General Conference of SDA, 1980.

Constitution : bylaws and working policy of the General Conference of Seventh-day Adventists, RHPA, 1986.

Crisler C., *Organization : its character, purpose, place, and development in the Seventh-day Adventist church*, RHPA, 1938.

Emmerson K.H., *Financing a world church*, RHPA, 1969.

Handbook for Seventh-day Adventist higher education, Washington D.C., General Conference of SDA, 1974.

Jorgensen G.A., *An investigation of the administrative reorganization of the General Conference of Seventh-day Adventists as planned and carried out in the General Conference of 1901 and 1903*, mémoire Andrews University, 1949.

Krum N., *The MV story*, RHPA, 1963.

Manual for church officers, Washington D.C., General Conference of SDA, 1978.

Nasa G.R., Parker L.M., *Investment - The miracle offering*, PPPA, 1965

Patterns of SDA education, Washington D.C., General Conference of SDA, 1985[4].

Rhodes J.D., *Success secrets for pastors*, PPPA, 1965.

Town N.Z., *The Publishing Department story*, RHPA, 1927.

Table des matières

Liste des
cartes et tableaux

CARTES

TABLEAUX

Liste des illustrations

1. Église adventiste de Colmar – Photo Paul BLEECKX

2. Maquette de l'église adventiste de Caen – Photo Paul BLEECKX

3. Intérieur de l'église adventiste de Poitiers – Photo Paul BLEECKX

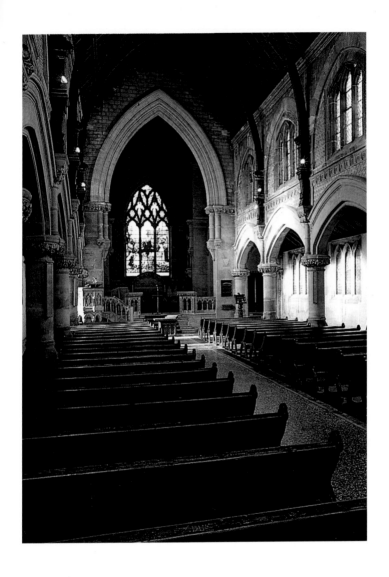

4. Intérieur de l'église adventiste de Neuilly – Photo Paul BLEECKX

5. Groupe d'enfants d'une école biblique de vacances conduite par des Adventistes – Photo Paul Bleeckx

6. Hôpital et université médicale adventiste de Loma Linda en Californie – Photo Paul Bleeckx

7. Chorale adventiste dans Notre Dame de Paris – Photo Paul Bleeckx

8. Église de l'Université Andrews de Berrien Springs au Michigan – Photo Andrews University

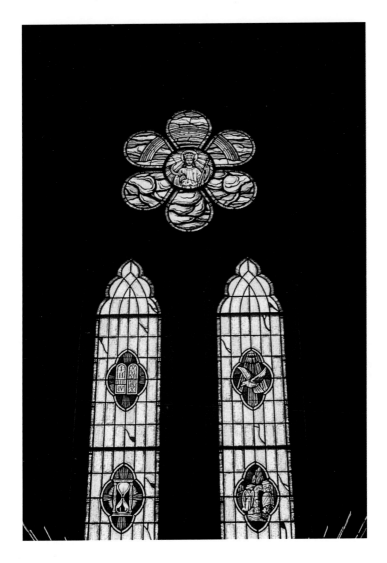

9. Vitraux de l'Université Andrews de Berrien Springs au Michigan
Photo Andrews University

10. Haut-relief représentant les trois anges d'*Apocalypse* 14 – Photo Paul BLEECKX

11. Le pain et la coupe de communion – Photo Paul BLEECKX

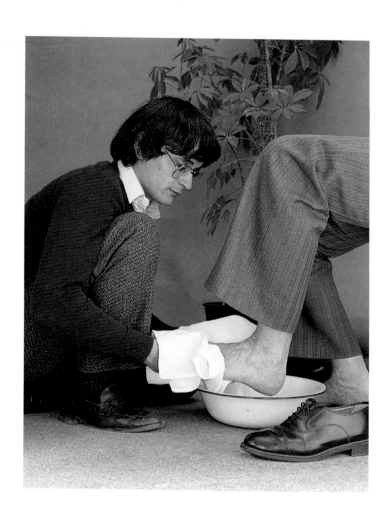

12. Pratique du lavement des pieds – Photo Paul BLEECKX

13. Bibliothèque de la Faculté Adventiste de Théologie de Collonges-sous-Salève. France – Photo Paul BLEECKX

14. Radio Salève. Radio privée adventiste – Photo Southern Union

15. Greg Constantine. Artiste adventiste près de son œuvre – Photo Greg CONSTANTINE

16. Timbre de Pitcairn, île du Pacifique occupée par les révoltés du Bounty et devenue adventiste – Photo Andrews University

17. Église du Séminaire Adventiste du Salève – Photo Jean CALCIA

18. Internat de jeunes filles du Séminaire Adventiste du Salève – Photo Southern Union

19. Alfred Vaucher, théologien adventiste centenaire – Photo Richard LEHMANN

20. Baptême adventiste – Photo Jean Zurcher

THE MIDNIGHT DANCERS

Two years after the death of her husband, Joanne feels it's time for her to move forward. She takes on a new job archiving historical documents at Grayling Manor, which is being restored by Canadian heir Clive Grayling, and she moves house, to the New Rectory nearby. As Jo delves into the history of the Manor, disturbing links between it and her new home begin to emerge. And to confuse matters, she thinks she may be falling in love with her new employer . . .